relato de um náufrago

Obras do autor

O amor nos tempos do cólera
A aventura de Miguel Littín clandestino no Chile
Cem anos de solidão
Cheiro de goiaba
Crônica de uma morte anunciada
Do amor e outros demônios
Doze contos peregrinos
Em agosto nos vemos
Os funerais da Mamãe Grande
O general em seu labirinto
A incrível e triste história da cândida Erêndira e sua avó desalmada
Memória de minhas putas tristes
Ninguém escreve ao coronel
Notícia de um sequestro
Olhos de cão azul
O outono do patriarca
Relato de um náufrago
A revoada (O enterro do diabo)
O veneno da madrugada (A má hora)
Viver para contar

Obra jornalística

Vol. 1 – Textos caribenhos (1948-1952)
Vol. 2 – Textos andinos (1954-1955)
Vol. 3 – Da Europa e da América (1955-1960)
Vol. 4 – Reportagens políticas (1974-1995)
Vol. 5 – Crônicas (1961-1984)
O escândalo do século

Obra infantojuvenil

A luz é como a água
María dos Prazeres
A sesta da terça-feira
Um senhor muito velho com umas asas enormes
O verão feliz da senhorita Forbes
Maria dos Prazeres e outros contos (com Carme Solé Vendrell)

Antologia

A caminho de Macondo

Teatro

Diatribe de amor contra um homem sentado

Com Mario Vargas Llosa

Duas solidões: um diálogo sobre o romance na América Latina

GABRIEL GARCÍA MÁRQUEZ

relato de um náufrago

TRADUÇÃO DE
REMY GORGA, FILHO

50ª edição

EDITORA RECORD
RIO DE JANEIRO • SÃO PAULO
2025

CIP-Brasil. Catalogação na fonte
Sindicato Nacional dos Editores de Livros, RJ.

G211r
50ª ed.

García Márquez, Gabriel, 1928-2014
Relato de um náufrago / Gabriel García Márquez; tradução de Remy Gorga, Filho; [Ilustrações de Carybé] – 50ª ed. – Rio de Janeiro: Record, 2025.

Tradução de: Relato de un naufrago
ISBN 978-85-01-01120-6

1. Velasco, Luis Alejandro. 2. Sobrevivência (após acidentes aéreos, náufragos etc.). 3. Marinheiros – Colômbia – Biografia. I. Título.

93-0568

CDD – 910.091636
CDU – 810.4(261.7)

Título original espanhol
RELATO DE UN NAUFRAGO

Ilustrações de CARYBÉ

Texto revisado segundo o Acordo Ortográfico da Língua Portuguesa de 1990.

Impresso no Brasil

ISBN 978-85-01-01120-6

Sumário

A HISTÓRIA DESTA HISTÓRIA

A 28 de fevereiro de 1955 soube-se da notícia de que oito membros da tripulação do destróier *Caldas*, da Marinha de Guerra da Colômbia, haviam caído à água e desaparecido por causa de uma tormenta no Mar do Caribe. O navio viajava de Mobile, Estados Unidos, onde tinha sido submetido a reparos, para o porto colombiano de Cartagena, ao qual chegou, sem atraso, duas horas depois da tragédia. A busca dos náufragos iniciou-se imediatamente, com a colaboração das forças norte-americanas do Canal do Panamá, encarregadas do controle militar e outras obras de caridade no Sul do Caribe. Ao cabo de quatro dias desistiu-se da busca, e os marinheiros perdidos foram declarados oficialmente mortos. Uma semana mais tarde, entretanto, um deles apareceu moribundo, numa praia deserta do Norte da Colômbia, depois de permanecer dez dias, sem comer nem beber, numa balsa à deriva. Chamava-se Luís Alexandre Velasco. Este livro é a reconstituição jornalística do que ele me contou, tal como foi publicada, um mês depois do desastre, pelo jornal *El Espectador* de Bogotá.

O que não sabíamos, nem o náufrago nem eu, quando tentávamos reconstituir minuto a minuto sua aventura, era que aquele rastrear esgotante havia de nos conduzir a uma nova aventura, que causou uma certa agitação no país, que custou a ele sua glória e sua carreira e que a mim poderia ter custado a pele. A Colômbia estava então sob a ditadura militar e folclórica do General Gustavo Rojas Pinilla, cujas duas mais memoráveis façanhas foram uma matança de estudantes no centro da capital, quando o exército dispersou a balaços uma manifestação pacífica, e o assassinato, pela polícia secreta, de um número nunca estabelecido de *taurófilos* dominicais, que vaiavam a filha do ditador na praça de touros. A imprensa estava censurada, e o problema diário dos jornais de oposição era encontrar assuntos sem implicação política que interessassem a seus leitores. No *El Espectador*, os encarregados desse honroso trabalho de cozinha éramos Guilherme Cano, diretor; José Salgar, chefe da redação, e eu, repórter de plantão. Nenhum tinha mais de 30 anos.

Quando Luís Alexandre Velasco chegou, sem ser solicitado, para nos perguntar quanto pagávamos por sua história, nós o recebemos pelo que ele então era: uma notícia velha. As forças armadas o haviam mantido por várias semanas em um hospital naval, e só pudera falar com os jornalistas do regime, e com um da oposição, que se disfarçara de médico. A história fora contada muitas vezes, estava mexida e deturpada, e os leitores pareciam enfadados de um herói que se alugava para anunciar relógios, porque o seu não se atrasou sob a intempérie; que aparecia em anúncios de sapatos, porque os seus eram tão resistentes que não pôde rasgá-los para comê-los, e em muitas outras porcarias da publicidade. Havia sido condecorado, fizera discursos patrióticos pelo rádio, fora exibido na televisão como exemplo para as gerações futuras, e fizeram-no passear entre flores e músicas através do país, para que desse autógrafos e fosse beijado pelas rainhas da beleza. Havia arrecadado uma pequena fortuna. Se vinha a nós sem que o chamássemos, depois que o procuramos tanto, previa-se que já não tinha muito o que contar, que seria capaz de inventar qualquer coisa por dinheiro, e que o governo fixara muito bem os limites de sua declaração. Mandamo-lo embora. De repente, sob o impulso de um pressentimento, Guilherme Cano alcançou-o nas escadas, aceitou o trato, e o colocou em minhas mãos. Foi como se me houvesse dado uma bomba-relógio.

Minha primeira surpresa foi que aquele moço de 20 anos, sólido, mais com cara de trompetista que de herói da pátria, tinha um instinto excepcional da arte de narrar, uma capacidade de síntese e uma memória assombrosas, e bastante dignidade natural para sorrir do próprio heroísmo. Em 20 sessões de seis horas diárias, durante as quais eu tomava notas e fazia perguntas traiçoeiras para detectar suas contradições, conseguimos reconstruir o relato compacto e verídico de seus dez dias no mar. Era tão minucioso e apaixonante, que meu único problema literário seria conseguir que o leitor acreditasse nele. Não foi só por isso, mas também porque nos pareceu justo, que resolvemos escrevê-lo na primeira pessoa e assinado por ele. Esta é, na realidade, a primeira vez que meu nome aparece vinculado a este texto.

A segunda surpresa, que foi a melhor, eu a tive no quarto dia de trabalho, quando pedi a Luís Alexandre que me descrevesse a tormenta que ocasionou o desastre. Consciente de que sua declaração valia seu peso em ouro, respondeu-me com um sorriso: "Mas não havia tormenta." E assim foi: os serviços meteorológicos nos confirmaram que aquele tinha sido mais um dos fevereiros mansos e diáfanos do Caribe. A verdade, nunca publicada até então, era que o navio adernou por causa do vento no mar agitado, soltou-se a carga mal estivada na coberta e os oito marinheiros caíram ao mar. Essa revelação implicava grandes erros: primeiro, era proibido transportar carga em um destróier; segundo, foi por causa do excesso de peso que o navio não pôde manobrar para resgatar os náufragos; terceiro, tratava-se de contrabando: geladeiras, televisores, máquinas de lavar. Estava claro que a história, como o destróier, levava também mal amarrada uma carga política e moral que não tínhamos imaginado.

A história, dividida em episódios, foi publicada em 14 dias consecutivos. O próprio governo celebrou, no princípio, a consagração literária de seu herói. Depois, quando se publicou a verdade, teria sido uma velhacaria política impedir que se continuasse a série: a circulação do jornal tinha quase dobrado, e havia em frente ao edifício uma disputa de leitores que compravam os números atrasados para guardar a coleção completa. A ditadura, de acordo com uma tradição muito própria dos governos colombianos, conformou-se em remendar a verdade com a retórica: desmentiu, num comunicado solene, que o destróier levasse mercadoria de contrabando. Procurando uma maneira de manter os nossos empregos, pedimos a Luís Alexandre Velasco uma lista dos seus companheiros de tripulação que tivessem máquinas fotográficas. Embora muitos estivessem passando férias em diferentes lugares do país, conseguimos encontrá-los para comprar as fotos que tiraram durante a viagem. Uma semana depois de publicado em série, o relato completo apareceu em um suplemento especial, ilustrado com as fotos compradas aos marinheiros. Ao fundo dos grupos de amigos em alto-mar, via-se, sem a menor possibilidade de engano, inclusive com suas marcas de fábrica, as caixas de mercadoria de contrabando. A ditadura acusou o golpe com uma série de represálias drásticas que haviam de culminar, meses depois, no fechamento do jornal.

Apesar das pressões, das ameaças e das mais sedutoras tentativas de suborno, Luís Alexandre Velasco não desmentiu uma linha sequer da história. Teve que abandonar a marinha, o único trabalho que sabia fazer, e se precipitou no esquecimento da vida comum. Em menos de dois anos caiu a ditadura e a Colômbia ficou à mercê de outros regimes mais bem-vestidos mas não muito mais justos, enquanto eu começava em Paris este exílio errante e um pouco nostálgico que tanto se parece também com uma balsa à deriva. Nunca mais ouviu-se falar do náufrago solitário, até que, há uns meses, um jornalista perdido encontrou-o atrás de uma mesa em uma empresa de ônibus. Vi essa foto: aumentou de peso e de idade e nota-se que a vida o marcou, mas deixou nele a aura serena do herói que teve a coragem de dinamitar a própria estátua.

Eu não voltara a ler este relato nestes 15 anos. Parece-me bastante digno de ser publicado, mas não consigo entender a utilidade de sua publicação. Causa-me depressão a ideia de que aos editores não interessa tanto o mérito do texto como o nome que o assina, que, para desgosto meu, é o de um escritor da moda.

Barcelona, fevereiro de 1970

G. G. M.

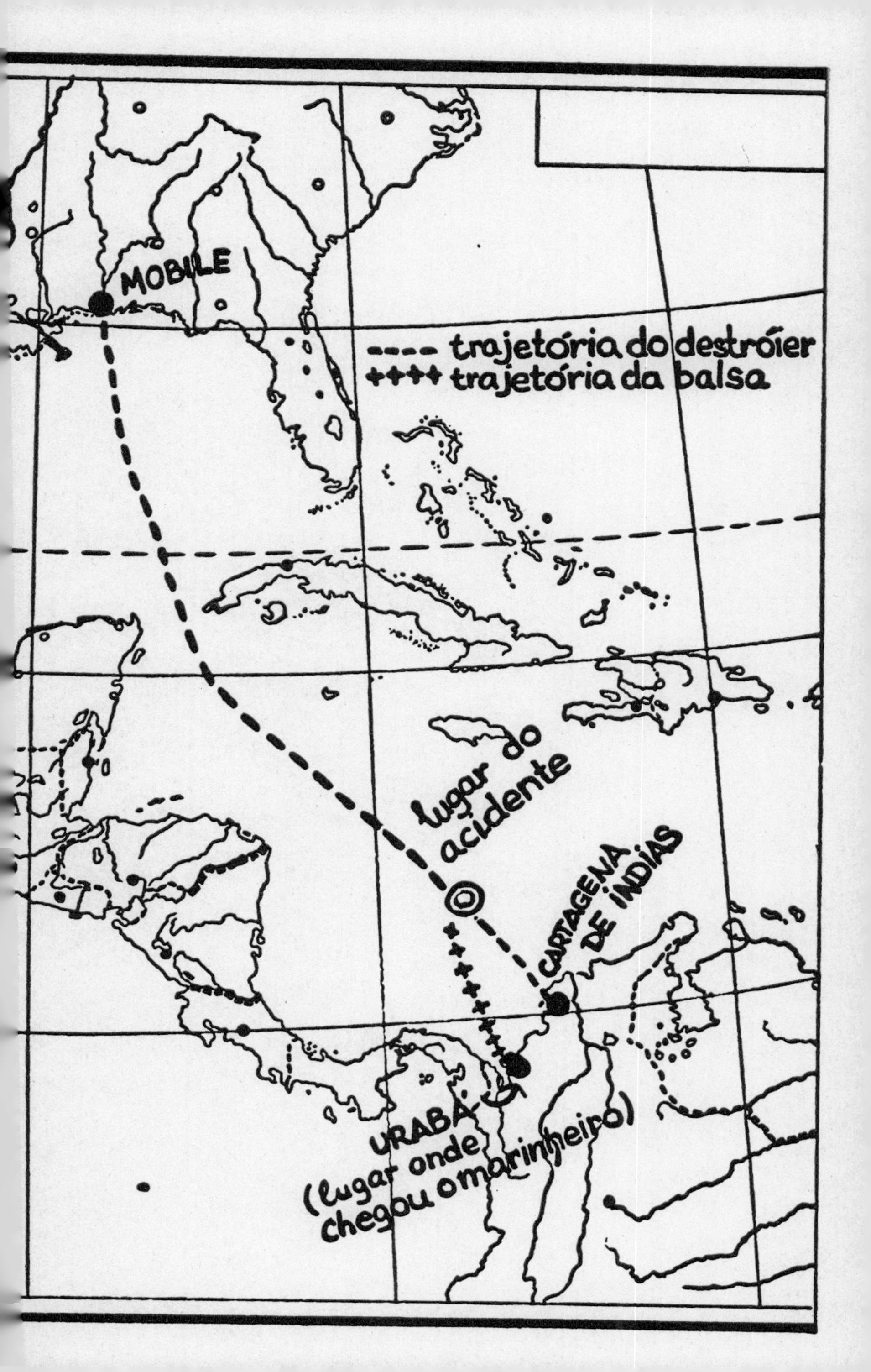

MOBILE
---- trajetória do destróier
++++ trajetória da balsa
lugar do acidente
CARTAGENA DE INDIAS
URABÁ
(lugar onde chegou o marinheiro)

CAPÍTULO I

Como eram meus companheiros mortos no mar

A 22 de fevereiro nos anunciaram que voltaríamos à Colômbia. Estávamos há oito meses em Mobile, Alabama, Estados Unidos, onde o *A. R. C. Caldas* foi submetido a reparos eletrônicos e em seus armamentos. Enquanto consertavam o navio, nós, os membros da tripulação, recebíamos instrução especial. Nos dias de folga, fazíamos o que fazem todos os marinheiros em terra: íamos ao cinema com a namorada e nos reuníamos depois no Joe Palooka, uma taberna do porto, onde tomávamos uísque e armávamos uma briga de vez em quando.

Minha namorada se chamava Mary Address e eu a conheci dois meses depois de estar em Mobile, por intermédio da namorada de outro marinheiro. Embora tivesse uma grande facilidade para aprender o castelhano, creio que Mary Address nunca soube por que meus amigos a chamavam de Maria Endereço. Toda vez que tinha folga, convidava-a para um cinema, embora ela preferisse que a convidasse para tomar sorvete. Nos entendíamos no meu meio-inglês e no seu meio-espanhol, mas nos entendíamos sempre, no cinema ou tomando sorvetes.

Só uma vez não fui ao cinema com Mary: na noite em que vimos *O Motim do Caine*. Disseram a um grupo de companheiros que era um bom filme sobre a vida num caça-minas. O melhor do filme, no entanto, não era o caça-minas, mas a tempestade. Estávamos todos de acordo: o recomendável, num caso como o daquela tempestade, era modificar o rumo do navio, como fizeram os amotinados. Entretanto, nem eu nem nenhum dos meus companheiros estivera numa situação como aquela, de maneira que nada no filme nos impressionou tanto quanto a tempestade. Quando voltamos para dormir, o marinheiro Diego Velázquez, que estava muito impressionado com o filme, pensando que dentro de poucos dias estaríamos no mar, nos disse:

— Que tal se nos acontecesse uma coisa assim?

Confesso que eu também estava impressionado. Em oito meses tinha perdido o costume do mar. Não sentia medo, pois o instrutor nos ensinara como nos defendermos num naufrágio. Apesar disso, não era normal a preocupação que sentia naquela noite em que vimos *O Motim do Caine*.

Não quero dizer que desde aquele instante comecei a pressentir o desastre. A verdade, porém, é que nunca tinha sentido tanto temor diante da proximidade de uma viagem. Em Bogotá, quando era menino e via as ilustrações dos livros, nunca pensei que alguém pudesse morrer no mar. Pelo contrário, pensava nele com muita confiança. E desde que ingressei na Marinha, há quase 12 anos, jamais tinha sentido qualquer transtorno durante a viagem.

Não me envergonho de confessar que senti algo muito semelhante ao medo depois que vi *O Motim do Caine*. Deitado de costas no meu beliche — o mais alto de todos —, pensava na família e na travessia que devíamos efetuar antes de chegar a Cartagena. Não podia dormir. Com a cabeça apoiada nas mãos, ouvia o suave bater da água contra o molhe, e a respiração serena dos quarenta marinheiros que dormiam no mesmo salão. Sob o meu beliche, o primeiro-marinheiro Luís Rengifo roncava como um trombone. Não sei o que sonhava, mas seguramente não teria podido dormir tão tranquilo se soubesse que oito dias depois estaria morto no fundo do mar.

A preocupação durou toda a semana. O dia da viagem se aproximava com alarmante rapidez e eu tratava de ganhar segurança na conversa com os companheiros. O *A. R. C. Caldas* estava pronto para partir. Durante aqueles dias a gente falava com mais insistência das famílias, da Colômbia e dos nossos projetos para o regresso. Pouco a pouco o navio se carregava com presentes que trazíamos para as nossas casas: rádios, geladeiras, máquinas de lavar e estufas, especialmente. Eu levava um rádio.

Ante a proximidade da data da partida, sem poder me desfazer das preocupações, decidi que tão logo chegasse a Cartagena abandonaria a Marinha. Não voltaria a me submeter aos perigos da navegação. Na noite antes de partir fui me despedir de Mary, a quem pensei contar os meus temores e a minha decisão. Não o fiz, porém, porque prometi voltar e ela não teria me acreditado se dissesse que estava disposto a nunca mais navegar. Só contei essa decisão a meu grande amigo, o segundo-marinheiro Ramón Herrera, que me confessou que também decidira abandonar a Marinha tão logo chegasse a Cartagena. Compartilhando nossos temores, Ramón Herrera e eu fomos, com o marinheiro Diego Velázquez, tomar um uísque de despedida no Joe Palooka.

Pensávamos em tomar um uísque, mas tomamos cinco garrafas. Nossas amigas de quase todas as noites sabiam da notícia da viagem e decidiram se despedir, se embebedar e chorar como prova de gratidão. O chefe da orquestra, um homem sério, com uns óculos que não lhe permitiam parecer um músico, tocou em nossa homenagem um repertório de mambos e tangos, achando que era música colombiana. Nossas amigas choraram e tomaram uísque de um dólar e meio a garrafa.

Como nessa semana nos pagaram três vezes, resolvemos gastar desbragadamente. Eu, porque estava preocupado e queria me embebedar. Ramón porque estava alegre, como sempre, porque era de Arjona, sabia tocar tambor e tinha uma singular habilidade para imitar todos os cantores da moda.

Um pouco antes de sairmos, um marinheiro norte-americano se aproximou da mesa e pediu licença a Ramón Herrera para dançar com seu par, uma loura enorme, que era a que menos bebia e a que mais chorava — sinceramente! O norte-americano pediu licença em inglês e Ramón Herrera lhe deu um puxão, dizendo em espanhol: "Não entendo uma porra!"

Foi uma das melhores brigas de Mobile, com cadeiras quebradas, radiopatrulhas e policiais. Ramón Herrera, que

conseguiu dar dois bons pescoções no norte-americano, voltou ao navio à uma da madrugada, imitando Daniel Santos.* Disse que era a última vez que embarcava. E, na realidade, foi a última.

Às três da madrugada de 24 de fevereiro o *A. R. C. Caldas* zarpou do porto de Mobile, rumo a Cartagena. Estávamos felizes por voltar para casa. Levávamos presentes. O primeiro-cabo Miguel Ortega, artilheiro, parecia o mais alegre de todos. Acho que nenhum marinheiro foi mais ajuizado que o cabo Miguel Ortega. Durante seus oito meses em Mobile não esbanjou um dólar. Investiu em presentes para a esposa, que o aguardava em Cartagena, todo o dinheiro que recebeu. Naquela madrugada, quando embarcamos, ele estava na ponte, justamente falando da esposa e dos filhos, não por acaso, porque nunca falava de outra coisa. Levava uma geladeira, uma máquina de lavar automática, um rádio e uma estufa. Doze horas depois, o cabo Miguel Ortega estaria tombado no seu beliche, morrendo de enjoo. Setenta e duas horas depois estaria morto no fundo do mar.

Os convidados da morte

Quando um navio zarpa dão a ordem: "Serviço pessoal a seus postos." Cada um permanece em seu posto até que o navio deixe o porto. Silencioso, diante da torre dos torpedos, eu via se perderem na névoa as luzes de Mobile, mas não pensava em Mary. Pensava no mar. Sabia que no

---

*Daniel Santos, velho e muito conhecido cantor de música romântica.

dia seguinte estaríamos no golfo do México, que por esta época do ano é uma rota perigosa. Até o amanhecer não vi o tenente de fragata Jaime Martínez Diago, segundo-oficial de operações, o único oficial morto no desastre. Era um homem alto, forte e silencioso, a quem só vi poucas vezes. Sabia que era natural de Tolima e uma excelente pessoa. Entretanto, naquela madrugada vi o primeiro-suboficial Júlio Amador Caraballo, segundo-contramestre, alto e forte, que passou junto a mim, contemplou por uns instantes as últimas luzes de Mobile e se dirigiu a seu posto. Acho que foi a última vez que o vi no navio.

Nenhum dos tripulantes do *Caldas* manifestava sua alegria de voltar mais estrepitosamente que o suboficial Elias Sabogal, chefe de maquinistas. Era um lobo do mar. Pequeno, de pele curtida, robusto e conversador. Tinha cerca de 40 anos, a maioria dos quais creio que passou conversando.

O suboficial Sabogal tinha motivos para estar mais contente que ninguém. Em Cartagena o esperavam a esposa e seis filhos. E ele só conhecia cinco: o menor nascera enquanto estávamos em Mobile.

Até o amanhecer a viagem foi perfeitamente tranquila. Em uma hora já me acostumara novamente à navegação. As luzes de Mobile se perdiam na distância entre a névoa de um dia tranquilo, e pelo oriente se via o sol, que começava a se levantar. Agora não me sentia inquieto, mas cansado. Não dormira durante toda a noite. Tinha sede. E uma má lembrança do uísque.

Às seis da manhã saímos do porto. Então deram a ordem: "Serviço pessoal, retirar-se. Guardas-marinhas a seus postos." Dirigi-me, então, ao dormitório. Debaixo do meu beliche, sentado, estava Luís Rengifo, esfregando os olhos para acabar de despertar.

— Por onde andamos? — perguntou-me.

Disse-lhe que acabávamos de sair do porto. Subi ao meu beliche e tratei de dormir.

Luís Rengifo era um marinheiro completo. Nascera em Chocó, longe do mar, mas trazia o mar no sangue. Quando o *Caldas* parou para reparos em Mobile, Luís Rengifo não fazia parte de sua tripulação. Estava em Washington, estudando. Era sério, estudioso e falava inglês tão corretamente quanto castelhano.

A 15 de março se formou engenheiro civil em Washington. Lá se casou, com uma dominicana, em 1952. Quando o destróier *Caldas* ficou pronto, Luís Rengifo viajou de Washington e foi incorporado à tripulação. Ele tinha me dito, poucos dias antes de sair de Mobile, que a primeira coisa que faria ao chegar à Colômbia seria tratar das providências para trazer a mulher a Cartagena.

Como ele ficara muito tempo sem viajar, eu estava certo de que sofreria enjoos. Naquela primeira madrugada da nossa viagem, enquanto se vestia, ele me perguntou:

— Você ainda não enjoou?

Respondi que não. Ele disse, então:

— Dentro de duas ou três horas verei você com a língua de fora.

— Eu é que verei você assim — disse-lhe.

E ele retrucou:

— No dia em que eu enjoar, o mar se enjoará.

Recostado no beliche, tentando conciliar o sono, voltei a me lembrar da tempestade. Renasceram meus temores da noite anterior. Outra vez preocupado, me voltei para Luís Rengifo e lhe disse:

— Tome cuidado. Não vá pagar pela língua.

CAPÍTULO II

Meus últimos minutos a bordo do "barco lobo"

"Já estamos no golfo", disse um dos companheiros quando me levantei para almoçar, a 26 de fevereiro. No dia anterior sentira um pouco de temor pelo tempo no golfo do México. Mas o destróier, apesar de jogar um pouco, deslizava com suavidade. Pensei com alegria que meus temores tinham sido infundados e saí à coberta. A silhueta da costa havia se apagado. Só o mar verde e o céu azul estendiam-se à nossa volta. Entretanto, na meia-coberta, o cabo Miguel Ortega estava sentado, pálido e desfigurado, lutando contra o enjoo. Desde quando ainda não haviam desaparecido as luzes de Mobile, e durante as últimas 24 horas, Ortega não pudera se manter em pé, apesar de não ser um novato no mar.

Miguel Ortega estivera na Coreia, na fragata *Almirante Padilha*. Viajara muito e estava familiarizado com o mar. Entretanto, apesar de o golfo estar tranquilo, foi preciso ajudá-lo a caminhar para que pudesse prestar a guarda. Parecia um agonizante. Não tolerava nenhuma espécie de alimento e nós, seus companheiros de guarda, o sentávamos na popa ou na meia-coberta, aguardando a ordem de levá-lo ao dormitório. Então se deitava de bruços no beliche, com a cabeça para fora, esperando o vômito.

Acho que foi Ramón Herrera quem me disse, na noite de 26, que a coisa ficaria feia no Caribe. De acordo com nossos cálculos, sairíamos do golfo do México depois da meia-noite. No meu posto de guarda, diante da torre dos torpedos, pensava com otimismo na chegada a Cartagena. A noite era clara, e o céu, alto e redondo, estava cheio de estrelas. Desde que ingressei na Marinha, peguei o costume de identificar as estrelas, e desde aquela noite tomei gosto, enquanto o *A. R. C. Caldas* avançava serenamente até o Caribe.

Penso que um velho marinheiro, que tenha viajado por todo o mundo, pode saber em que mar se encontra pela maneira do barco balançar. A experiência nesse mar, onde fiz minhas primeiras armas, me indicou que estávamos no Caribe. Olhei o relógio. Era meia-noite e meia. Trinta e um minutos da madrugada de 27 de fevereiro. Mesmo que o navio não balançasse tanto, teria sabido que estávamos no Caribe. Mas jogava. Eu, que nunca senti enjoos, comecei a ficar intranquilo. Tive um estranho pressentimento. E, sem saber por que, me lembrei do cabo Miguel Ortega, que estava lá embaixo, no beliche, pondo o estômago pela boca.

Às seis da manhã o destróier balançava como uma casca de ovo. Luís Rengifo estava acordado, no beliche debaixo do meu.

— Gordo? — perguntou. — Você ainda não enjoou?

Disse-lhe que não, mas lhe contei meus temores. Rengifo, que, como disse, era engenheiro, muito estudioso e bom marinheiro, fez então uma exposição dos motivos pelos quais não havia o menor perigo de que ocorresse ao *Caldas* um acidente no Caribe.

— É um barco lobo — disse.

E me lembrou que durante a guerra, nessas mesmas águas, o destróier colombiano tinha afundado um submarino alemão.

"É um navio seguro", dizia Luís Rengifo. E eu, deitado no beliche, sem poder dormir por causa dos movimentos do navio, me sentia seguro com suas palavras. Mas o vento era cada vez mais forte a bombordo, e eu imaginava como estaria o *Caldas* no meio daquela tremenda agitação. Nesse momento me lembrei de *O Motim do Caine*.

Embora o tempo não tenha mudado durante todo o dia, a navegação era normal. Enquanto fazia a guarda, fiquei imaginando projetos para quando chegasse a Cartagena. Escreveria a Mary. Pensava lhe escrever duas vezes por semana, pois nunca fui preguiçoso para isto. Desde que ingressara na Marinha, escrevia todas as semanas para minha família de Bogotá. Escrevia para meus amigos do bairro Olaya cartas frequentes e longas. De modo que escreveria a Mary, pensei, e calculei em horas o tempo que nos faltava para chegar a Cartagena: exatamente 24 horas. Aquela era a minha penúltima guarda.

Ramón Herrera me ajudou a arrastar o cabo Miguel Ortega até seu beliche. Estava cada vez pior. Desde que saíramos de Mobile, três dias antes, não provara alimentos. Quase não podia falar e tinha o rosto verde e descomposto.

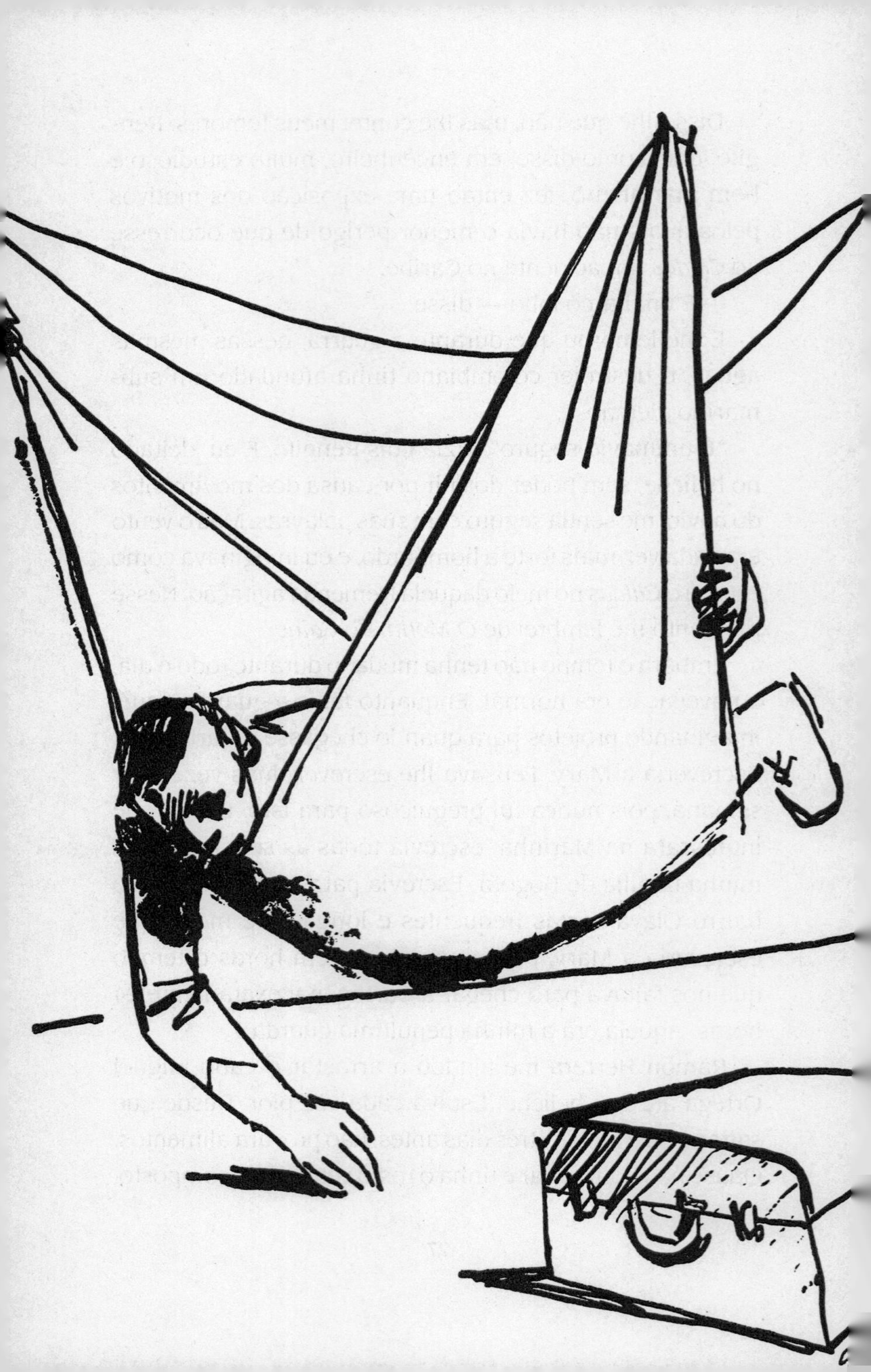

Começa o baile

O baile começou às 10 da noite. Durante todo o dia o *Caldas* tinha jogado, mas não tanto quanto na noite de 27 de fevereiro, em que eu, acordado no beliche, pensava apavorado no pessoal que estava de guarda na coberta. Sabia que nenhum dos marinheiros que estava nos beliches pudera conciliar o sono. Um pouco antes da meia-noite disse a Luís Rengifo, meu vizinho de baixo:

— Você ainda não ficou enjoado?

Como eu imaginava, ele também não podia dormir. Apesar do movimento do navio, não tinha perdido o bom humor. Disse:

— Já falei que no dia em que eu enjoar, o mar enjoa também.

Era uma frase que repetia com frequência, mas naquela noite quase não teve tempo de terminá-la.

Disse que me sentia inquieto. Disse que sentia uma coisa muito parecida com o medo. Mas não tenho a menor dúvida sobre o que senti à meia-noite do dia 27, quando, através dos alto-falantes, ouvi a ordem geral: "Todo o pessoal, dirigir-se ao lado de bombordo."

Eu sabia o que significava aquela ordem. O barco estava adernando perigosamente a boreste e se tentava equilibrá-lo com o nosso peso. Pela primeira vez, em dois anos de navegação, tive um verdadeiro medo do mar. O vento assobiava, lá em cima, onde o pessoal da coberta devia estar empapado e tiritando.

Tão logo ouvi a ordem, pulei do estrado. Com muita calma, Luís Rengifo se pôs de pé, dirigindo-se a um dos estrados de bombordo, que estavam desocupados porque pertenciam ao pessoal de guarda. Agarrando-me aos outros beliches, tentei caminhar, mas nesse instante me lembrei de Miguel Ortega.

Não podia se mexer. Quando ouviu a ordem, ainda tentou se levantar, mas caiu novamente no beliche, vencido pelo enjoo e pelo esgotamento. Ajudei-o a ficar de pé e o coloquei no seu beliche de bombordo. Em voz baixa, ele me disse que se sentia muito mal.

— Vamos conseguir que você não dê a guarda — disse-lhe.

Pode parecer brincadeira de mau gosto, mas se Miguel Ortega tivesse ficado no beliche, agora não estaria morto.

Sem ter dormido um só minuto, às quatro da madrugada do dia 28 nos reunimos na popa, os seis da guarda disponível. Inclusive Ramón Herrera, meu companheiro de todos os dias. O suboficial de guarda era Guilherme Rozo. Aquela foi minha última missão a bordo. Sabia que às duas da tarde estaríamos em Cartagena. Pensava dormir logo que passasse a guarda, para poder me divertir naquela noite em terra firme, depois de oito meses de ausência. Às cinco e meia da madrugada iniciei uma revista no navio, acompanhado por um grumete. Às sete, rendemos os postos de serviço permanente para tomar café. Às oito, voltaram a nos render. Exatamente a essa hora passei minha última guarda, sem novidade, enquanto o vento aumentava e as ondas, cada vez mais altas, arrebentavam na ponte e banhavam a coberta.

Ramón Herrera estava na popa. Estava lá, também, como salva-vidas de guarda, Luís Rengifo, com os fones nos ouvidos. Na meia-coberta, recostado, agonizando no seu eterno enjoo, o cabo Miguel Ortega. Ali se sentia menos o movimento. Conversei um momento com o segundo-marinheiro Eduardo Castillo, armazenista, solteiro, bogotano e muito calado. Não me lembro do que falávamos. Só sei que desde aquele instante não voltamos a nos ver até quando afundou no mar, poucas horas depois.

Ramón Herrera estava juntando uns papelões para se cobrir com eles e tentar dormir. Com o balanço era impossível descansar nos dormitórios. As ondas, cada vez mais fortes e altas, estalavam na coberta. Entre as geladeiras, as máquinas de lavar e as estufas, fortemente amarradas na popa, Ramón Herrera e eu nos deitamos, bem apertados, para evitar que uma onda nos arrastasse. Estendido de costas, contemplava o céu. Sentia-me mais tranquilo, deitado, com a certeza de que dentro de poucas horas estaríamos na baía de Cartagena. Não havia tempestade: o dia estava inteiramente claro, a visibilidade era completa e o céu profundamente azul. Agora nem mesmo as botas me apertavam, pois as trocara por uns sapatos de borracha depois que passara a guarda.

Um minuto de silêncio

Luís Rengifo me perguntou a hora. Eram onze e meia. Fazia uma hora que o navio começara a se inclinar perigosamente a boreste. Através dos alto-falantes repetiram a ordem da noite anterior: "Todo o pessoal, dirigir-se ao lado de bombordo." Ramón Herrera e eu não nos mexemos, já que estávamos daquele lado.

Pensei no cabo Miguel Ortega, a quem, um momento antes, vira a boreste, e quase ao mesmo tempo eu o vi passar cambaleando. Tombou a bombordo, agonizando no seu enjoo. Nesse instante, o navio se inclinou pavorosamente. Segurei a respiração. Uma onda enorme arrebentou sobre nós e ficamos empapados, como se acabássemos de sair do mar. Com muita lentidão, trabalhosamente, o destróier recuperou sua posição normal. Na guarda, Luís Rengifo estava pálido. Disse, nervosamente:

— Que merda! Este navio está indo e não quer voltar.

Era a primeira vez que via Luís Rengifo nervoso. Perto de mim, Ramón Herrera, pensativo, inteiramente molhado, permanecia silencioso. Houve um instante de silêncio total. Logo, Herrera disse:

— Na hora em que mandarem cortar os cabos para jogar toda a carga à água, sou o primeiro a cortar.

Eram onze e cinquenta.

Eu também pensava que de um momento para o outro mandariam cortar as amarras da carga. É o que se chama de "arrumação urgente". Rádios, geladeiras e estufas teriam sido jogados à água tão depressa quanto houvessem dado a ordem. Pensei que nesse caso teria que descer ao dormitório, pois na popa só estávamos seguros porque conseguíramos nos segurar entre as geladeiras e as estufas. Sem elas, a onda teria nos arrastado.

O navio continuava se defendendo das ondas, mas cada vez se inclinava mais. Ramón Herrera puxou um toldo e se cobriu com ele. Uma nova onda, maior que a anterior, arrebentou novamente sobre nós, agora protegidos pelo toldo. Segurei a cabeça com as mãos, enquanto passava a onda, e meio minuto depois os alto-falantes tossiram.

"Vão dar a ordem para jogar fora a carga", pensei. Mas a ordem foi outra, dada com uma voz segura e descansada: "Pessoal que transita na coberta, usar salva-vidas."

Calmamente, Luís Rengifo segurou com uma mão os fones e pôs o salva-vidas com a outra. Após cada onda grande, eu sentia primeiro um enorme vazio e depois um profundo silêncio. Vi Luís Rengifo, com o salva-vidas vestido, voltar a colocar os fones; então, fechei os olhos e ouvi perfeitamente o tique-taque do meu relógio.

Escutei o relógio durante um minuto, aproximadamente. Ramón Herrera não se mexia. Calculei que deviam faltar quinze para o meio-dia. Duas horas para chegar a Cartagena. O navio pareceu suspenso no ar por um segundo. Ergui a mão para olhar a hora, mas nesse instante não vi o braço, nem a mão, nem o relógio. Não vi a onda. Senti que o navio afundava e que a carga em que me apoiava estava rolando. Levantei-me numa fração de segundo, com a água me chegando ao pescoço. Com os olhos arregalados, espantado e silencioso, vi Luís Rengifo, que tentava sobrenadar, segurando os fones no alto. Então a água me cobriu por completo e comecei a nadar para cima.

Tentando sair à tona, nadei pelo espaço de um, dois, três segundos. Continuei nadando. Faltava-me o ar. Asfixiava-me. Tentei me agarrar à carga, mas ela já não estava ali. Não havia nada ao redor. Quando saí à tona não vi em volta de mim nada diferente do mar. Um segundo depois, a uns cem metros de distância, o navio surgiu de dentro das ondas, jorrando água por todos os lados, como um submarino. Só então percebi que havia caído na água.

CAPÍTULO III

Vendo quatro dos meus companheiros se afogarem

Minha primeira impressão foi a de estar absolutamente só na metade do mar. Sustentando-me à tona, vi que outra onda arrebentava contra o destróier, e que este, a uns 200 metros do lugar em que me encontrava, se precipitava num abismo e desaparecia de minha vista. Pensei que havia afundado. E um momento depois, confirmando meu pensamento, surgiram à minha volta numerosas caixas da mercadoria com que o destróier fora carregado em Mobile. Eu me mantive à tona, entre caixas de roupa, rádios, geladeiras e toda espécie de utensílios domésticos que saltavam confusamente, batidos pelas ondas. Não tive, naquele instante, nenhuma ideia precisa do que estava acontecendo. Um pouco aturdido, me agarrei a uma das caixas que boiavam e tolamente fiquei a contemplar o mar. O dia era de uma claridade perfeita. Salvo as fortes ondas produzidas pelo vento e a mercadoria dispersa na superfície, não havia nada naquele lugar que se parecesse com um naufrágio.

De repente, comecei a ouvir gritos próximos. Através do cortante assobio do vento reconheci perfeitamente a voz de Júlio Amador Caraballo, o alto e elegante segundo-contramestre, que gritava a alguém:

— Agarre-se aí, por baixo do salva-vidas.

Foi como se nesse instante tivesse acordado de um profundo sono de um minuto. Percebi que não estava só no mar. Ali, a poucos metros de distância, meus companheiros gritavam uns para os outros, mantendo-se à tona. Rapidamente comecei a pensar. Não podia nadar para lado nenhum. Sabia que estávamos a quase 200 milhas de Cartagena, mas tinha perdido o sentido da orientação. Entretanto, ainda não sentia medo. Por um momento pensei que poderia ficar agarrado à caixa indefinidamente, até que viessem em nosso auxílio. Tranquilizava-me saber que ao redor de mim outros marinheiros estavam em iguais circunstâncias. Foi então que vi as balsas.

Eram duas, emparelhadas, a uns sete metros de distância uma da outra. Apareceram, inesperadamente, na crista de uma onda, do lado onde meus companheiros gritavam. Achei estranho que nenhum deles tivesse podido alcançá-las. Num segundo, uma das balsas desaparecia de minha vista. Vacilei entre correr o risco de nadar até a outra ou permanecer seguro, agarrado à caixa. Antes, porém, que tivesse tido tempo de tomar uma decisão, eu me vi nadando até a última balsa visível, cada vez mais distante. Nadei durante uns três minutos. Por um instante deixei de ver a balsa, mas procurei não perder a direção. Bruscamente, um golpe de onda a colocou a meu lado, branca, enorme e vazia. Agarrei-me com força ao estrado e tentei pular para dentro. Só consegui na terceira tentativa. Já na balsa, arquejante, açoitado pelo vento, implacável e gelado, me levantei penosamente. Vi, então, três dos meus companheiros ao redor da balsa, tentando alcançá-la.

Reconheci-os na hora. Eduardo Castillo, o armazenista, se agarrava fortemente ao pescoço de Júlio Amador Caraballo. Este, que dava guarda quando aconteceu o acidente, trazia o salva-vidas. Gritava: "Agarre-se firme, Castillo." Boiavam entre a mercadoria dispersa, a uns dez metros de distância.

Do outro lado estava Luís Rengifo. Poucos minutos antes, eu o vira no destróier, tentando sobrenadar com os fones levantados na mão direita. Com sua serenidade habitual, com aquela confiança de bom marinheiro que o fazia dizer que antes dele o mar enjoaria, tirara a camisa para nadar melhor, mas perdera o salva-vidas. Mesmo que não o tivesse visto, eu o teria reconhecido pelo grito:

— Gordo, reme para este lado.

Rapidamente agarrei os remos e tentei me aproximar deles. Júlio Amador, com Eduardo Castillo firmemente pendurado ao pescoço, se aproximava da balsa. Muito mais longe, pequeno e desolado, vi o quarto dos meus companheiros: Ramón Herrera, que me fazia sinais com a mão, agarrado a uma caixa.

Apenas três metros!

Se tivesse tido que decidir, não saberia por qual dos meus companheiros começar. Quando vi, porém, Ramón Herrera, o da briga em Mobile, o alegre jovem de Arjona, que poucos minutos antes estava comigo na popa, comecei a remar com desespero. Mas a balsa tinha quase dois metros de comprimento. Era muito pesada naquele mar encabritado e eu tinha que remar contra o vento. Acho que não consegui avançar um metro. Desesperado, olhei outra vez ao redor e Ramón Herrera tinha desaparecido da superfície. Só Luís Rengifo nadava com segurança para a balsa. Estava certo de que ele a alcançaria. Eu o ouvira roncar como um trombone, debaixo do meu estrado, e estava convencido de que sua serenidade era mais forte que o mar.

Júlio Amador, por sua vez, lutava com Eduardo Castillo para que não se soltasse do seu pescoço. Estavam a menos de três metros. Pensei que se chegassem um pouco mais, poderia estender-lhes o remo. Nesse instante, uma onda gigantesca suspendeu a balsa no ar e vi, de sua crista extensa, o mastro do destróier, que se distanciava. Quando voltei a descer, Júlio Amador tinha desaparecido, com Eduardo Castillo agarrado ao pescoço. Só, a dois metros de distância, Luís Rengifo continuava nadando serenamente em direção à balsa.

Não sei por que fiz aquela coisa absurda: sabendo que não podia avançar, meti o remo na água, tentando evitar que a balsa se movesse, como tentando cravá-la no seu lugar. Luís Rengifo, cansado, parou um instante, levantou a mão como quando sustentava com ela os fones, e gritou outra vez:

— Reme para cá, gordo!

O vento vinha na mesma direção. Gritei que não podia remar contra o vento, que fizesse um último esforço, mas tive a sensação de que não me ouviu. As caixas de mercadorias tinham desaparecido e a balsa dançava de um lado para o outro, batida pelas ondas. Em um instante, fiquei a mais de cinco metros de Rengifo, e o perdi de vista. Apareceu, porém, pelo outro lado, ainda sem se desesperar, mergulhando contra as ondas para evitar que o distanciassem. Eu estava de pé, agora com o remo para o alto, esperando que Luís Rengifo se aproximasse o suficiente para que pudesse alcançá-lo. Mas então notei que ele se cansava, se desesperava. Voltou a me gritar, já afundando:

— Gordo... Gordo...!

Tentei remar, mas continuava sendo inútil, como na primeira vez. Fiz um último esforço para que Luís Rengifo alcançasse o remo, mas a mão levantada, a mesma que, poucos minutos antes, tentara evitar que os fones afundassem, desapareceu naquele momento para sempre, a menos de dois metros do remo...

Não sei quanto tempo fiquei assim, parado, me equilibrando na balsa, com o remo levantado. Examinava a água. Esperava que de um momento para o outro surgisse alguém na superfície. Mas o mar estava limpo e o vento, cada vez mais forte, batia contra minha camisa com um uivo de cachorro. A mercadoria desaparecera. O mastro, cada vez mais distante, me fez saber que o destróier não tinha afundado, como imaginei no princípio. Fiquei tranquilo: pensei que logo viriam me buscar. Pensei que algum dos meus companheiros conseguira alcançar a outra balsa.

Não havia razão para que não o tivessem conseguido. Não eram balsas municiadas, porque a verdade é que nenhuma das balsas do destróier era municiada. Mas havia seis ao todo, fora os botes e as baleeiras. Pensava que era perfeitamente normal que alguns dos meus companheiros tivessem alcançado as outras balsas, como eu alcançara a minha, e que talvez o destróier estivesse nos procurando.

Logo notei o sol. Um sol quente e metálico de meio-dia em ponto. Atordoado, sem me recuperar por completo, olhei o relógio. Era exatamente meio-dia.

Só

A última vez que Luís Rengifo me perguntou a hora, no destróier, eram onze e meia. Vi novamente a hora às onze e cinquenta, e ainda não tinha acontecido o desastre. Quando olhei o relógio na balsa, eram doze em ponto. Achei que fazia muito tempo que tudo acontecera, mas, na realidade, só dez minutos tinham se passado do instante em que olhei o relógio pela última vez, na popa do destróier, ao momento em que alcancei a balsa, e tentei salvar meus companheiros, e fiquei lá, imóvel, de pé, vendo o mar vazio, ouvindo o uivo cortante do vento e pensando que se passariam pelo menos duas ou três horas até que viessem me resgatar.

"Duas ou três horas", calculei. Achei um tempo desproporcionalmente longo para ficar só no mar, mas tentei me resignar. Não tinha alimentos nem água e pensava que antes das três da tarde a sede seria abrasadora. O sol ardia na minha cabeça e começava a queimar minha pele, seca e endurecida pelo sal. Como na queda perdera o gorro, voltei a molhar a cabeça e me sentei na borda da balsa, enquanto esperava que viessem me resgatar.

Só então senti a dor no joelho direito. Minha calça grossa de brim azul estava molhada, por isso custei a enrolá-la para cima do joelho. Quando consegui, fiquei assustado: tinha uma ferida funda, em forma de meia-lua, na parte de baixo do joelho. Não sei se tropecei na borda do barco ou se me feri ao cair na água. Só sei que não a notei senão quando já estava sentado na balsa, e que embora me ardesse um pouco, deixara de sangrar e estava seca, imagino que por causa do sal marinho. Sem saber em que pensar, comecei a fazer um inventário das minhas coisas. Queria saber com o que contava na solidão do mar. Vi logo que contava com meu relógio, que funcionava bem e para o qual não podia deixar de olhar a cada dois ou três minutos. Tinha, além do meu anel de ouro comprado em Cartagena no ano passado, uma corrente com a medalha de N. Sra. do Carmo, também comprada em Cartagena, de outro marinheiro, por 35 pesos. Nos bolsos, apenas as chaves do meu armário no destróier, e três cartões que me deram numa loja de Mobile, num dia qualquer de janeiro, em que fui fazer compras com Mary Address. Como não tinha o que fazer, fiquei lendo os cartões para me distrair enquanto não me resgatavam. Não sei por que achei que eram como uma mensagem cifrada que os náufragos jogam ao mar dentro de uma garrafa. E acho que se nesse instante tivesse uma garrafa, teria colocado dentro um dos cartões, brincando de náufrago, para ter naquela noite alguma coisa divertida para contar a meus amigos em Cartagena.

CAPÍTULO IV

Minha primeira noite só no Caribe

Às quatro da tarde a brisa se acalmou. Como não via nada mais que água e céu, como não tinha qualquer ponto de referência, mais de duas horas se passaram antes que eu percebesse que a balsa estava avançando. Na realidade, desde o momento em que me vi dentro dela, começou a se movimentar em linha reta, empurrada pela brisa, a uma velocidade maior do que a que eu poderia lhe imprimir com os remos. Entretanto, não tinha a menor ideia sobre minha direção nem posição. Não sabia se a balsa avançava para a costa ou para o interior do Caribe, mas essa última hipótese me parecia a mais provável, pois sempre achei impossível que o mar lançasse à terra alguma coisa que nele tivesse penetrado 200 milhas, muito menos se essa coisa era algo tão pesado como um homem numa balsa.

Durante minhas primeiras duas horas segui mentalmente, minuto a minuto, a viagem do destróier. Pensei que se telegrafassem a Cartagena, teriam dado a posição exata do lugar em que ocorrera o acidente, e que desde esse momento teriam enviado aviões e helicópteros para nos resgatar. Fiz meus cálculos: antes de uma hora os aviões estariam ali, dando voltas sobre minha cabeça.

À uma da tarde me sentei na balsa a examinar o horizonte. Soltei os remos e os coloquei no interior, pronto para remar na direção em que aparecessem os aviões. Os minutos eram longos e intensos. O sol me queimava o rosto e as costas e os lábios ardiam, rachados pelo sal. Mas nesse momento não sentia sede nem fome. A única necessidade que sentia era a de que aparecessem os aviões. Já tinha meu plano: quando os visse aparecer, tentaria remar até eles; depois, quando estivessem sobre mim, ficaria de pé na balsa e lhes faria sinais com a camisa. Para estar preparado, para não perder um minuto, desabotoei a camisa e continuei sentado na borda, examinando o horizonte por todos os lados, pois não tinha a menor ideia da direção em que os aviões apareceriam.

Assim chegaram as duas horas. A brisa continuava uivando e, por cima do uivo da brisa, eu continuava ouvindo a voz de Luís Rengifo: "Gordo, reme para este lado." Eu a ouvia com perfeita nitidez, como se estivesse ali, a dois metros de distância, tentando alcançar o remo. Mas sabia que quando o vento uiva no mar, quando as ondas se arrebentam contra as escarpas, a gente continua ouvindo as vozes de que se lembra. E as continua ouvindo com enlouquecedora persistência: "Gordo, reme para este lado."

Às três horas comecei a me desesperar. Sabia que a essa hora o destróier estava nos molhes de Cartagena.

Meus companheiros, felizes pelo regresso, se dispersariam dentro de pouco tempo pela cidade. Tive a sensação de que todos estavam pensando em mim, e essa ideia me infundiu ânimo e paciência para esperar até às quatro. Ainda que não tivessem telegrafado, ainda que não tivessem percebido que caíramos na água, o teriam notado no momento de atracar, quando toda a tripulação devia estar na coberta. Isso podia ter sido às três, o mais tardar; imediatamente teriam dado o aviso. Por mais que os aviões demorassem em decolar, antes de meia hora estariam voando para o lugar do acidente. Assim, às quatro — o mais tardar às quatro e meia — estariam voando sobre minha cabeça. Continuei examinando o horizonte, até que a brisa parou e me senti envolto num imenso e surdo rumor. Só então deixei de ouvir o grito de Luís Rengifo.

A grande noite

No começo me pareceu impossível permanecer três horas sozinho no mar. Mas às cinco, quando já se tinham passado cinco horas, achei que ainda podia esperar uma hora mais. O sol estava descendo. Ficou vermelho e grande no ocaso, e então comecei a me orientar. Sabia agora por onde apareceriam os aviões: pus o sol à minha esquerda e olhei em linha reta, sem me mexer, sem desviar a vista um só instante, sem me atrever a piscar, na direção em que devia estar Cartagena, segundo minha orientação. Às seis, doíam meus olhos. Continuava, porém, olhando.

Inclusive depois que começou a escurecer, continuei olhando com uma paciência firme e rebelde. Sabia então que não veria os aviões, mas veria as luzes verdes e vermelhas, avançando até mim, antes de ouvir o ruído dos seus motores. Queria ver as luzes, sem pensar que dos aviões não poderiam me ver no escuro. De repente o céu ficou vermelho, e eu continuava examinando o horizonte. Logo ficou da cor de violetas escuras, e eu continuava olhando. A um lado da balsa, como um diamante amarelo no céu cor de vinho, fixa e quadrada, apareceu a primeira estrela. Foi como um sinal. Imediatamente depois, a noite, fechada e tensa, derramou-se sobre o mar.

Minha primeira impressão, ao perceber que estava submerso na escuridão e já não podia ver a palma da minha mão, foi a de que não poderia dominar o terror. Pelo ruído da água contra a borda, sabia que a balsa continuava avançando lenta mas incansavelmente. Afundado nas trevas, vi então que não estivera tão só durante o dia. Estava só na escuridão, na balsa que não via mas que sentia sob mim, deslizando silenciosamente sobre um mar espesso e povoado de animais estranhos. Para me sentir menos só fiquei olhando o mostrador do relógio. Eram dez para as sete. Muito tempo depois, que me pareceram duas ou três horas, eram cinco para as sete. Quando o ponteiro dos minutos chegou ao número 12, eram sete em ponto e o céu estava cheio de estrelas. A mim, entretanto, parecia que havia se passado tanto tempo que já era hora de começar o amanhecer. Desesperadamente, continuava pensando nos aviões.

Comecei a sentir frio. É impossível permanecer seco um minuto dentro da balsa. Mesmo quando a gente se senta na borda, meio corpo fica dentro da água, porque o fundo da balsa afunda como uma cesta, mais de meio metro abaixo da superfície. Às oito da noite a água era menos fria que o ar. Sabia que no fundo da balsa estaria a salvo de animais, porque a rede que a protege os impede de se aproximar. Mas isso se aprende e se acredita na escola, quando o instrutor faz a demonstração num modelo reduzido de balsa, e se está sentado num banco, entre 40 companheiros, às duas da tarde. Quando, porém, a gente está sozinho no mar, às oito da noite e sem esperanças, pensa que não há nenhuma lógica nas palavras do instrutor. Eu sabia que tinha meio corpo metido num mundo que não pertencia aos homens, mas aos animais do mar, e apesar do vento gelado que me açoitava a camisa não me atrevia a me afastar da borda. Segundo o instrutor, esse é o lugar menos seguro da balsa. Apesar disso, só ali me sentia mais longe dos animais: esses animais enormes e desconhecidos que ouvia passar misteriosamente junto à balsa.

Nessa noite tive trabalho para encontrar a Ursa Menor, perdida num confuso e interminável emaranhado de estrelas. Nunca tinha visto tantas. Em toda a extensão do céu era difícil encontrar um ponto vazio. Mas desde que localizei a Ursa Menor, não me atrevi a olhar para outro lado. Não sei por que me sentia menos só olhando a Ursa Menor. Em Cartagena, nos dias de folga, a gente se sentava de madrugada na ponte de Manga, enquanto Ramón Herrera cantava, imitando Daniel Santos, e alguém o acompanhava ao violão. Sentado na beira da pedra, eu sempre descobria a Ursa Menor, para os lados do Cerro de la Popa. Nessa noite, na borda da balsa, senti por um instante como se estivesse na ponte de Manga, como se Ramón Herrera estivesse perto de mim, cantando acompanhado por um violão, e como se a Ursa Menor não estivesse a 200 milhas da terra, mas sobre o Cerro de la Popa. Pensava que nessa hora alguém estava olhando a Ursa Menor, em Cartagena, como eu a olhava no mar, e essa ideia fez com que me sentisse menos só.

O que tornou mais longa a minha primeira noite no mar foi que nela não aconteceu absolutamente nada. É impossível descrever uma noite numa balsa quando nada acontece e se tem medo dos animais, e um relógio luminoso para o qual é impossível deixar de olhar um só minuto. Na noite de 28 de fevereiro — que foi minha primeira noite no mar — olhei o relógio a cada minuto. Era uma tortura. Desesperadamente resolvi tirá-lo e guardá-lo no bolso para não ficar escravizado às horas. Quando me pareceu que era impossível resistir, faltavam 20 minutos para as nove da noite. Ainda não sentia sede nem fome e estava certo de que poderia aguentar até o dia seguinte, quando viessem os aviões. Pensava, porém, que o relógio me poria louco. Dominado pela angústia, eu o tirei do pulso para colocá-lo no bolso; com ele na mão, pensei que o melhor seria atirá-lo ao mar. Vacilei um instante. Depois senti medo: pensei que estaria mais só sem o relógio. Coloquei-o novamente no pulso e continuei olhando para ele, minuto a minuto, como à tarde estivera fitando o horizonte à espera dos aviões, até que me doeram os olhos.

Depois da meia-noite senti desejo de chorar. Não havia dormido um segundo, mas nem sequer havia tentado. Com a mesma esperança com que, nessa tarde, ansiei por ver aviões no horizonte, estive, nessa madrugada, procurando luzes de navios. Permaneci longas horas examinando o mar; um mar tranquilo, imenso e silencioso, mas não vi uma só luz que não fosse a das estrelas. O frio foi mais intenso durante a madrugada e me pareceu que meu corpo estava resplandecente, com todo o sol da tarde incrustado sob a pele, que o frio fazia arder mais ainda. O joelho direito começou a doer depois da meia-noite e eu sentia como se a água houvesse me penetrado até os ossos. Mas essas eram sensações remotas. Não pensava tanto em meu corpo quanto nas luzes dos navios. E pensava que no meio daquela solidão infinita, no meio do escuro rumor do mar, não precisava senão ver a luz de um navio, para dar um grito que se ouviria a qualquer distância.

A luz de cada dia

Não amanheceu lentamente como na terra. O céu ficou pálido, desapareceram as primeiras estrelas e eu continuava olhando primeiro o relógio e depois o horizonte. Apareceram os contornos do mar. Doze horas tinham se passado, mas isso me parecia extraordinário. É impossível que a noite seja tão longa quanto o dia. É preciso ter passado uma noite no mar, sentado numa balsa e contemplando um relógio, para saber que a noite é desmesuradamente mais longa que o dia. Mas de súbito começa a amanhecer, e então a gente se sente muito cansado para saber que isto está acontecendo.

Isso ocorreu naquela primeira noite na balsa. Quando começou a amanhecer já nada mais me importava. Não pensei nem em água nem em comida. Não pensei em nada até que o vento começou a ficar morno e a superfície do mar se tornou lisa e dourada. Não dormira um segundo em toda a noite, mas naquele instante senti como se houvesse despertado. Quando me espreguicei na balsa, meus ossos doíam. Doía-me a pele. O dia, porém, era resplandecente e morno e, em meio à claridade, ao rumor do vento que começava a se levantar, eu me sentia com renovadas forças para esperar. Então me senti profusamente acompanhado na balsa. Pela primeira vez nos meus 20 anos de vida me senti então completamente feliz.

A balsa continuava avançando; não podia calcular o quanto avançara durante a noite, mas tudo continuava igual no horizonte, como se não tivesse andado um centímetro. Às sete da manhã pensei no destróier. Era a hora do café da manhã. Pensava que meus companheiros estariam sentados à mesa comendo uma maçã. Depois nos trariam ovos. Em seguida, carne. Depois pão e café com leite. Minha boca se encheu de saliva e senti uma leve pressão no estômago. Para afastar aquela ideia, mergulhei no fundo da balsa até o pescoço. A água fresca nas costas queimadas me fez sentir mais forte e aliviado. Fiquei assim longo tempo, mergulhado, me perguntando por que fora para a popa com Ramón Herrera, em vez de me deitar no beliche. Reconstruí minuto a minuto a tragédia e me achei um burro. Não havia nenhuma razão para que tivesse sido uma das vítimas: não estava de guarda, não tinha obrigação de estar na coberta. Pensei que tudo tinha acontecido por culpa da má sorte e então voltei a sentir um pouco de angústia. Quando, porém, olhei o relógio, voltei a me tranquilizar. O dia avançava rapidamente: eram onze e meia.

Um ponto negro no horizonte

A proximidade do meio-dia me fez pensar outra vez em Cartagena. Era impossível que não tivessem notado o meu desaparecimento. Cheguei até a lamentar o fato de haver alcançado a balsa, pois imaginei, por um instante, que meus companheiros tinham sido resgatados, e que o único que andava à deriva era eu, porque a balsa fora empurrada pela brisa. Atribuí até à má sorte o fato de ter alcançado a balsa.

Não acabara de amadurecer essa ideia quando pensei ver um ponto no horizonte. Levantei-me, com a vista fixa naquele ponto negro que avançava. Eram onze e cinquenta. Olhei com tanta intensidade, que num momento o céu se encheu de pontos luminosos. Mas o ponto negro continuava avançando diretamente para a balsa. Dois minutos depois de tê-lo descoberto, comecei a ver perfeitamente sua forma. À medida que se aproximava pelo céu, luminoso e azul, lançava brilhos metálicos que cegavam. Pouco a pouco foi se definindo entre os outros pontos luminosos. O pescoço

me doía e eu já não suportava o resplendor do céu nos olhos. Mas continuava olhando: era brilhante, veloz e vinha diretamente para a balsa. Nesse instante não me senti feliz. Não experimentei uma grande emoção. Senti uma grande lucidez e uma serenidade extraordinária, de pé na balsa, enquanto o avião se aproximava. Calmamente tirei a camisa. Tinha a sensação de que sabia qual era o instante preciso em que devia começar a fazer sinais com a camisa. Permaneci um minuto, dois minutos, com a camisa na mão, esperando que o avião se aproximasse. Vinha diretamente para a balsa. Quando levantei o braço e comecei a agitar a camisa, ouvia perfeitamente, por cima do barulho das ondas, o crescente e vibrante ruído dos seus motores.

CAPÍTULO V

Tive um companheiro na balsa

Agitei a camisa desesperadamente, durante pelo menos cinco minutos. Mas logo percebi que me enganara: o avião não vinha para a balsa. Quando vi crescer o ponto negro, achei que passaria por cima da minha cabeça. Passou muito distante, a uma altura da qual era impossível que me vissem. Em seguida fez uma longa volta, tomou a direção de regresso e começou a se perder no mesmo lugar do céu por onde havia aparecido. De pé na balsa, exposto ao sol ardente, fiquei olhando o ponto negro, sem pensar em nada, até que se apagou por completo no horizonte. Sentei-me novamente. Sentia-me infeliz, mas como ainda não perdera a esperança, decidi tomar precauções para me proteger do sol. Em primeiro lugar, não devia expor os pulmões aos raios solares. Era meio-dia. Estava exatamente há 24 horas na balsa. Deitei-me de rosto para o céu na borda e pus a camisa úmida sobre o rosto. Não tentei dormir porque sabia o perigo que me ameaçava se dormisse ali. Pensei no avião: não estava muito certo de que estivera me procurando. Não foi possível identificá-lo.

Deitado na borda da balsa, senti pela primeira vez a tortura da sede. No começo foi a saliva espessa e a secura na garganta. Pensei em tomar água do mar, mas sabia que isso me prejudicaria. Poderia fazê-lo mais tarde. Logo esqueci a sede. Ali mesmo, sobre minha cabeça, mais forte que o ruído das ondas, ouvi o ruído de outro avião.

Levantei-me emocionado. O avião se aproximava por onde chegara o outro, mas este vinha diretamente para a balsa. No instante em que passou sobre minha cabeça voltei a agitar a camisa. Ia, porém, muito alto. Passou longe; foi-se; desapareceu. Fez logo a volta e eu o vi de perfil sobre o horizonte, voando na direção em que viera. "Agora estão me procurando", pensei. Então esperei na borda, com a camisa na mão, a chegada de novos aviões.

Alguma coisa ficara fora de dúvida em relação aos aviões: apareciam e desapareciam de um mesmo ponto. Isso significava que lá estava a terra. Agora sabia para onde devia me dirigir. Como? Por mais que a balsa tivesse avançado durante a noite, devia estar ainda muito longe da costa. Sabia em que direção encontrá-la, mas ignorava em absoluto quanto tempo devia remar, com aquele sol que começava a empolar minha pele e com aquela fome que me doía no estômago. E, sobretudo, com aquela sede. Cada vez ficava mais difícil respirar.

Às 12h35, um enorme avião negro, com barcaças de amerissagem, passou rugindo por cima da minha cabeça. Meu coração deu um salto. Eu o vi perfeitamente. O dia estava muito claro, de maneira que pude ver nitidamente a cabeça de um homem aparecer na cabina, examinando o mar com um binóculo negro. Passou tão baixo, tão perto de mim, que me pareceu sentir no rosto a forte trepidação de seus motores. Identifiquei-o perfeitamente pelas letras de suas asas: era um avião do serviço de guarda-costas da Zona do Canal.

Quando se afastou trepidando para o interior do Caribe não duvidei um só instante de que o homem do binóculo me havia visto agitar a camisa. "Acharam-me!", gritei, feliz, ainda agitando a camisa. Louco de emoção, fiquei dando pulos na balsa.

Tinham-me visto!

Em menos de cinco minutos, o mesmo avião negro voltou a passar na direção contrária, a igual altura que da primeira vez. Voava inclinado sobre a asa esquerda e na janelinha desse lado vi de novo, nitidamente, o homem que examinava o mar com o binóculo. Voltei a agitar a camisa. Agora não o fazia desesperadamente. Agitava-a com calma, não como se estivesse pedindo auxílio, mas lançando uma emocionada saudação de agradecimento a meus descobridores.

À medida que avançava, tive a impressão de que ia perdendo altura. Por um momento ficou voando em linha reta, quase ao nível da água. Acreditei que estava amerissando e me preparei para remar até o lugar em que desceria. Um instante depois voltou a tomar altura, deu a volta e passou, pela terceira vez, sobre minha cabeça. Não agitei a camisa com desespero. Aguardei que ficasse exatamente sobre a balsa. Fiz um breve sinal e esperei que passasse de novo, cada vez mais baixo. No entanto, ao contrário, ele ganhou altura rapidamente e se perdeu por onde havia aparecido. Apesar disso, não tinha por que me preocupar. Estava certo de que me tinham visto. Era impossível que não me houvessem visto, voando tão baixo e exatamente sobre a balsa. Tranquilo, despreocupado e feliz, me sentei para esperar.

Esperei uma hora. Chegara a uma conclusão muito importante: o ponto de onde surgiram os primeiros aviões estava, sem dúvida, sobre Cartagena. O ponto por onde desaparecera o avião negro estava sobre o Panamá. Calculei que remando em linha reta, me desviando um pouco da direção do vento, chegaria talvez ao balneário de Tolú, que era mais ou menos o ponto intermediário entre aqueles por onde desapareceram os aviões.

Tinha calculado que em uma hora estariam me resgatando. Mas a hora passou sem que nada acontecesse no mar azul, limpo e tranquilo. Passaram-se duas horas mais. E outra e mais outra, e então não me mexi um segundo da borda. Fiquei tenso, examinando o horizonte sem pestanejar. O sol começou a descer às cinco. Ainda não perdera as esperanças, mas começara a me sentir intranquilo. Estava certo de que me tinham visto do avião negro, mas não entendia como se passara tanto tempo sem que viessem me resgatar. Sentia a garganta seca. Cada vez ficava mais difícil respirar. Distraído, olhava o horizonte, quando, sem saber por que, dei um salto e caí no centro da balsa. Lentamente, como caçando uma presa, a barbatana de um tubarão deslizava ao longo da borda.

Os tubarões chegam às cinco

Foi o primeiro animal que vi, quase há 30 horas na balsa. A barbatana de um tubarão infunde terror porque sua voracidade é conhecida. Na verdade, porém, nada parece mais inofensivo que a barbatana de um tubarão. Ela não se parece com algo que faz parte de um animal, muito menos de uma fera. É verde e áspera, como a casca de uma árvore. Quando a vi passar, beirando a balsa, tive a sensação de que possuía um sabor fresco e um pouco amargo, como o da cortiça. Passava das cinco. O mar estava sereno. Outros tubarões se aproximavam da balsa, pacientemente, e estiveram espreitando até anoitecer por completo. Já não havia luzes, mas eu os sentia rondar na escuridão, rasgando a superfície tranquila com o fio de suas barbatanas.

Desde então, não mais me sentei na borda depois das cinco da tarde. Amanhã, depois de amanhã e nos próximos quatro dias, ganharia experiência suficiente para saber que os tubarões são pontuais: chegariam um pouco depois das cinco e desapareceriam com a escuridão.

Ao entardecer, a água transparente oferece um belo espetáculo. Peixes de todas as cores se aproximam da balsa.

Enormes, amarelos e verdes; rajados de azul e vermelho, redondos, diminutos, acompanhavam a balsa até o anoitecer. Às vezes brilhava um relâmpago metálico, um jorro de água sangrenta saltava pela borda e os pedaços de um peixe destroçado pelo tubarão flutuavam por um segundo junto à balsa. Então, uma quantidade incalculável de peixes menores se precipitava sobre os restos. Naquele momento eu teria vendido a alma pelo menor pedaço das sobras do tubarão.

Era minha segunda noite no mar. Noite de fome, de sede e de desespero. Senti-me abandonado, depois de me ter agarrado obstinadamente à esperança dos aviões. Nessa noite, entendi que contava apenas com a minha vontade e o resto das minhas forças para me salvar.

Uma coisa me assustava: estava um pouco fraco, mas não esgotado. Passara quase 40 horas sem água nem alimento e mais de duas noites e dois dias sem dormir, pois estivera de guarda toda a noite anterior ao acidente. Apesar disso, era capaz de remar.

Voltei a procurar a Ursa Menor. Pus os olhos nela e remei. Ventava, mas não na direção que eu devia imprimir à balsa para navegar no rumo da Ursa Menor. Fixei os dois remos à borda e comecei a remar às dez da noite. Remei desesperadamente no início. Logo com mais calma, o olhar fixo na Ursa Menor, que, segundo meus cálculos, brilhava exatamente sobre o Cerro de la Popa.

Pelo ruído da água sabia que estava avançando. Quando me cansava, cruzava os remos e recostava a cabeça para descansar. Depois, agarrava os remos com mais força e mais esperança. À meia-noite continuava remando.

Um companheiro na balsa

Quase às duas horas me senti completamente esgotado. Cruzei os remos e tentei dormir. Nesse momento havia aumentado a sede. A fome não me incomodava. A sede, sim. O cansaço era tanto que apoiei a cabeça no remo e me dispus a morrer. Foi então que vi, sentado na coberta do destróier, o marinheiro Jaime Manjarrés, que me mostrava, com o indicador, a direção do porto. Jaime Manjarrés, bogotano, é um dos meus amigos mais antigos na Marinha. Muitas vezes pensava nos companheiros que tentaram alcançar a balsa. Perguntava-me se teriam alcançado a outra balsa, se o destróier os teria recolhido ou se haviam sido localizados pelos aviões. Nunca, porém, tinha pensado em Jaime Manjarrés, sorridente, primeiro me mostrando a direção do porto e, em seguida, sentado à mesa, diante de mim, com um prato de frutas e ovos mexidos na mão.

No começo foi um sonho. Fechava os olhos, dormia durante breves minutos e aparecia sempre, pontual e na mesma posição, Jaime Manjarrés. Afinal decidi falar com ele. Não me lembro o que lhe perguntei nessa primeira vez. Não me lembro também o que me respondeu. Só sei que estávamos conversando na coberta e de repente houve o golpe da onda, a onda fatal das 11h55; então, acordei sobressaltado, me agarrando com todas as forças ao estrado para não cair ao mar.

Antes do amanhecer o céu escureceu. Não pude dormir mais porque me sentia esgotado, mesmo para dormir. Em meio às trevas, não via o outro extremo da balsa, mas continuava olhando para a escuridão, tentando penetrá-la. Foi quando vi, nitidamente, na outra ponta da balsa, Jaime Manjarrés, sentado, no seu uniforme de trabalho: calça e camisa azuis, o boné ligeiramente inclinado sobre a orelha direita, onde se lia claramente, apesar da escuridão: *A. R. C. Caldas.*

— Olá — disse-lhe sem me espantar, certo de que Jaime Manjarrés estava ali e de que ali estivera sempre.

Se isso tivesse sido um sonho não teria nenhuma importância. Sei que estava completamente acordado e lúcido, e que ouvia o assobio do vento e o ruído do mar sobre minha cabeça. Sentia fome e sede. E não tinha a menor dúvida de que Jaime Manjarrés viajava comigo na balsa.

— Por que você não tomou bastante água no navio? — perguntou-me.

— Porque estávamos chegando a Cartagena — respondi. — Estava recostado na popa com Ramón Herrera.

Não era uma aparição. Eu não sentia medo. Achava uma bobagem ter antes me sentido só na balsa, sem saber que outro marinheiro estava comigo.

— Por que você não comeu? — perguntou-me Jaime Manjarrés.

Lembro-me perfeitamente que lhe disse:

— Porque não quiseram me dar comida. Pedi que me dessem maçãs e sorvetes e não me quiseram dar. Não sei onde os haviam escondido.

Jaime Manjarrés não disse mais nada. Ficou silencioso um momento. Voltou a me mostrar onde ficava Cartagena. Segui a direção de sua mão e vi as luzes do porto, as boias da baía dançando sobre a água. "Já chegamos", disse, e continuei olhando intensamente as luzes do porto, sem emoção, sem alegria, como se estivesse chegando depois de uma viagem normal. Pedi a Jaime Manjarrés que remássemos um pouco. Mas já não estava mais ali. Tinha ido embora. Eu estava só na balsa e as luzes do porto eram os primeiros raios do sol. Os primeiros raios do meu terceiro dia de solidão no mar.

CAPÍTULO VI

Um barco de resgate e uma ilha de canibais

No princípio contava os dias recapitulando os acontecimentos: o primeiro dia, 28 de fevereiro, foi o do acidente. O segundo, o dos aviões. O terceiro foi o mais desesperador de todos: não aconteceu nada de especial. A balsa avançou impulsionada pelo vento, eu não tinha forças para remar. O dia ficou nublado, senti frio e como não via o sol perdi a orientação. Nessa manhã não teria podido saber por onde vinham os aviões. Uma balsa não tem popa nem proa. É quadrada e, às vezes, navega de lado, gira sobre si mesma imperceptivelmente, e como não há pontos de referência, não se sabe se avança ou retrocede. O mar é igual por todos os lados. Às vezes me deitava na parte posterior da borda, em relação ao sentido em que a balsa avançava. Cobria o rosto com a camisa. Quando me levantava, a balsa avançara até onde eu me encontrava deitado. Então não sabia se tinha mudado de direção ou se tinha girado sobre si mesma. Algo parecido me aconteceu com o tempo, depois do terceiro dia.

Ao meio-dia decidi fazer duas coisas: primeiro, firmei o remo num dos extremos da balsa, para saber se avançava sempre num mesmo sentido. Segundo, fiz com as chaves, na borda, um risco para cada dia que passava, e marquei a data. Tracei o primeiro risco e pus um número: 28.

Tracei o segundo risco e coloquei outro número: 29. No terceiro dia, junto ao terceiro risco, escrevi o número 30. Foi outra confusão. Pensei que estávamos no dia 30 e, na realidade, era 2 de março. Só percebi isso no quarto dia, quando fiquei em dúvida se o mês que terminara tinha 30 ou 31 dias. Então me lembrei de que era fevereiro, e ainda que agora pareça bobagem, aquele erro me fez perder o sentido do tempo. No quarto dia já não estava muito certo das minhas contas em relação aos dias que passara na balsa. Três? Quatro? Cinco? De acordo com os riscos, fosse fevereiro ou março, estava lá havia três dias. Não estava muito certo, da mesma forma que não estava certo se a balsa avançava ou retrocedia. Preferi deixar as coisas como estavam, para evitar novas confusões, e perdi definitivamente as esperanças de que me resgatassem.

Ainda não havia comido nem bebido. Não queria pensar, era penoso organizar as ideias. A pele, queimada pelo sol, ardia terrivelmente, cheia de bolhas. Na Base Naval, o instrutor tinha nos alertado para evitar, a todo custo, expor os pulmões aos raios do sol. Essa era uma das minhas preocupações. Despira a camisa, sempre molhada, e a havia amarrado à cintura, pois me incomodava seu contato com a pele. Como estava há quatro dias com sede e já era materialmente impossível respirar, sentindo uma dor profunda na garganta, no peito e debaixo das clavículas, tomei um pouco de água salgada. Essa água não acalma a sede, mas refresca. Tinha demorado tanto tempo em tomá-la porque sabia que, na segunda vez, devia tomar menor quantidade, e só depois de passadas muitas horas.

Todos os dias, com assombrosa pontualidade, os tubarões chegavam às cinco. Havia, então, um festim em torno da balsa. Peixes enormes saltavam fora da água e poucos momentos depois ressurgiam destroçados. Os tubarões, enlouquecidos, se precipitavam silenciosamente contra a superfície sanguinolenta. Ainda não tinham tentado romper a balsa, mas se sentiam atraídos por ela porque era branca. É sabido que os tubarões atacam de preferência os objetos brancos. São míopes, de modo que só podem ver as coisas brancas ou brilhantes. Essa era outra recomendação do instrutor:

— É preciso esconder as coisas brilhantes, para não chamar a atenção dos tubarões.

Eu não levava coisas brilhantes. Até o mostrador do meu relógio era escuro. Mas teria ficado tranquilo se tivesse coisas brancas para jogar na água, longe da balsa, no caso de os tubarões tentarem saltar pela borda. De qualquer forma, desde o quarto dia fiquei sempre com o remo pronto para me defender, depois das cinco da tarde.

Barco à vista!

Durante a noite atravessava um remo na balsa e tentava dormir. Não sei se isso acontecia apenas quando estava dormindo ou também quando estava acordado, mas todas as noites via Jaime Manjarrés. Conversávamos alguns minutos sobre qualquer coisa, e logo ele desaparecia. Já me acostumara a suas visitas. Quando o sol saía, pensava que eram alucinações. Mas à noite não duvidava de que Jaime Manjarrés estivesse ali, na borda, conversando comigo. Ele também tentava dormir, na madrugada do quinto dia. Cabeceava em silêncio, recostado no outro remo. De repente, pôs-se a examinar o mar.

— Olhe! — disse-me.

Levantei os olhos. A uns 30 quilômetros da balsa, avançando no mesmo sentido do vento, vi as intermitentes mas inconfundíveis luzes de um navio.

Há muitas horas não me encontrava com forças para remar. Ao ver, porém, aquelas luzes, me levantei, segurei fortemente os remos e tentei me dirigir para o navio. Eu o via avançar lentamente e, por um instante, não só via as luzes do mastro, mas a sua sombra avançando contra os primeiros brilhos do amanhecer.

O vento oferecia uma forte resistência. Apesar de ter remado com desespero, com uma força que não tinha depois de mais de quatro dias sem comer nem dormir, acho que não consegui desviar a balsa nem um metro da direção que o vento lhe imprimia.

As luzes estavam cada vez mais distantes. Comecei a suar e a me sentir esgotado. À meia-noite e vinte, as luzes tinham desaparecido por completo. As estrelas começaram a se apagar e o céu se tingiu de um cinza-escuro. Desolado no meio do mar, soltei os remos, me pus de pé, açoitado pelo gelado vento da madrugada, e durante breves minutos fiquei gritando como um louco.

Quando vi de novo o sol, estava outra vez recostado no remo. Completamente extenuado, não esperava mais a salvação por nenhum lado e tinha vontade de morrer. Apesar de tudo, algo estranho acontecia quando sentia vontade de morrer; imediatamente começava a pensar no perigo. Esse pensamento me dava renovadas forças para resistir.

Na manhã do quinto dia, estive disposto a desviar a direção da balsa, de qualquer maneira. Pensei que se continuasse na direção do vento, chegaria a uma ilha habitada por canibais. Em Mobile, numa revista cujo nome esqueci, li a história de um náufrago que foi devorado por antropófagos. Mas não era nessa história que pensava. Pensava no *Marinheiro Renegado*, um livro que li em Bogotá, há dois anos. É a história de um marinheiro que durante a guerra, depois que seu barco se chocou contra uma mina, conseguiu nadar até uma ilha próxima. Lá permanece 24 horas, se alimentando de frutas silvestres, até que os canibais o descobrem, jogam-no numa panela de água fervendo e o cozinham vivo. Imediatamente comecei a pensar nessa ilha. Já não podia imaginar a costa senão como um território povoado de canibais. Pela primeira vez durante os cinco dias de solidão no mar, meu terror mudou de direção: agora não tinha tanto medo do mar como da terra.

Ao meio-dia, recostei-me na borda, inerte pelo sol, pela fome e pela sede. Não pensava em nada. Perdi a noção de tempo e de direção. Tentei ficar de pé, para testar as forças, e tive a sensação de que não podia com meu corpo.

"Este é o momento", pensei. E, na realidade, achei que esse era o momento mais temível de quantos que o instrutor nos havia advertido: o momento de se amarrar à balsa. Há um instante em que já não se sente mais sede nem fome. Um momento em que não se sentem as implacáveis ferroadas do sol na pele empolada. Não se pensa. Não se tem nenhuma noção dos sentidos. Mas ainda não se perdem as esperanças. Ainda resta o recurso final de soltar os cabos do estrado e se amarrar à balsa. Durante a guerra muitos cadáveres foram encontrados assim, decompostos e bicados pelas aves, mas fortemente amarrados à balsa.

Pensei que ainda teria forças para esperar até a noite sem necessidade de me amarrar. Rolei até o fundo da balsa, estiquei as pernas e permaneci submerso até o pescoço durante várias horas. Com o calor do sol, a ferida do joelho começou a doer. Foi como se eu tivesse acordado. E como se essa dor me tivesse dado uma nova noção da vida. Pouco a pouco, em contato com a água fresca, fui recobrando as forças. Senti, então, uma forte pressão no estômago e o ventre se mexeu agitado por um rumor longo e profundo. Tentei evitá-lo mas foi impossível.

Levantei-me com muita dificuldade, tirei o cinturão, baixei as calças e senti um grande alívio com a descarga do ventre. Era a primeira vez em cinco dias. E pela primeira vez em cinco dias, os peixes, desesperados, bateram contra a borda, tentando romper os sólidos cabos da rede.

Sete gaivotas

A visão dos peixes, brilhantes e próximos, instigava minha fome. Pela primeira vez experimentei um verdadeiro desespero. Agora, pelo menos, tinha uma isca. Esqueci o cansaço, agarrei um remo e me preparei para esgotar os últimos vestígios de minhas forças com um golpe certeiro na cabeça de um dos peixes que saltavam contra a balsa, em furiosa disputa. Não sei quantas vezes bati com o remo. Sentia que a cada golpe acertava, mas esperava inutilmente localizar a presa. Havia ali um terrível festim de peixes que se devoravam entre si, e um tubarão, calmamente, tirando suculento partido na água revolta.

A presença do tubarão me fez desistir daquele propósito. Decepcionado, soltei o remo e me recostei na borda. Pouco depois, senti uma terrível alegria: sete gaivotas voavam sobre a balsa.

Para um esfomeado marinheiro solitário no mar, a presença das gaivotas é uma mensagem de esperança. Geralmente, um bando de gaivotas acompanha os navios, mas só até o segundo dia de navegação. Sete gaivotas sobre a balsa significavam a proximidade da terra.

Se tivesse forças, teria começado a remar. Estava, porém, extenuado. Mal podia me sustentar de pé uns poucos minutos. Convencido de que estava a menos de dois dias de navegação, de que estava me aproximando da terra, tomei outro pouco de água na concha da mão e voltei a me recostar na borda, de rosto para o céu, para que o sol não me batesse nos pulmões. Não cobri o rosto com a camisa porque queria continuar vendo as gaivotas, que voavam lentamente, em ângulo agudo, se internando no mar. Era uma da tarde do meu quinto dia no mar.

Não sei em que momento chegou. Estava deitado na balsa, mais ou menos às cinco da tarde, e me preparava para esconder-me no fundo antes que chegassem os tubarões. Vi, então, uma pequena gaivota, talvez do tamanho da minha mão, que voava em torno da balsa e pousava, por breves minutos, no outro extremo da borda.

Minha boca se encheu de uma saliva gelada. Não tinha como capturar aquela gaivota. Nenhum instrumento, salvo minhas mãos e minha astúcia, aguçada pela fome. As outras gaivotas tinham desaparecido. Só ficara essa pequena, cor de café, de penas brilhantes, que pulava na borda.

Permaneci absolutamente imóvel. Parecia estar sentindo, pelo ombro, o fio da barbatana do tubarão pontual, que desde às cinco devia estar por ali. Mas decidi correr o risco. Nem sequer me atrevia a olhar a gaivota, para que não percebesse o movimento da minha cabeça. Vi-a passar, bem baixo, por cima do meu corpo, e depois se distanciar, desaparecer no céu. Mas não perdi a esperança. Não imaginava como ia despedaçá-la. Sabia que tinha fome e que se permanecesse completamente imóvel a gaivota passaria ao alcance da minha mão.

Acho que esperei mais de meia hora. Ela apareceu e desapareceu várias vezes. Houve um momento em que senti, junto à cabeça, um golpe do tubarão destroçando um peixe. Em lugar de medo, senti mais fome. A gaivota pulava pela borda. Era o entardecer do meu quinto dia no mar. Cinco dias sem comer. Apesar da emoção, embora o coração batesse forte dentro do peito, permaneci imóvel, como um morto, enquanto sentia a gaivota se aproximar.

Estava estirado na borda, com as mãos nas pernas. Estou certo de que durante meia hora nem sequer me atrevi a piscar. O céu se fazia brilhante e me maltratava a vista, mas não me atrevia a fechar os olhos naquele momento de tensão. A gaivota bicava meus sapatos.

Havia transcorrido uma longa e intensa meia hora quando senti que a gaivota pousou na minha perna. Suavemente bicou a calça. Eu continuava absolutamente imóvel quando ela me deu uma bicada seca e forte no joelho. Estive a ponto de saltar, por causa da ferida. Consegui, porém, suportar a dor. Logo, ela se voltou para a perna direita, a cinco ou seis centímetros da minha mão. Então retive a respiração e, imperceptivelmente, com uma tensão desesperada, comecei a deslizar a mão.

CAPÍTULO VII

Os desesperados recursos de um faminto

Se alguém se senta numa praça com a esperança de capturar uma gaivota, pode ficar lá a vida toda sem conseguir. Mas a cem milhas da costa é diferente. As gaivotas têm aguçado instinto de conservação em terra firme. No mar, são confiadas.

Estava tão imóvel que, provavelmente, aquela gaivota pequena e brincalhona, que pousou na minha perna, achou que eu tinha morrido. Eu a via na minha perna. Bicava minha calça, mas não me feria. Continuei deslizando a mão. Bruscamente, no instante exato em que a gaivota percebeu o perigo e tentou levantar voo, agarrei-a por uma asa, saltei para dentro da balsa e me dispus a devorá-la.

Enquanto esperava que pousasse na minha perna, estava certo de que se a capturasse, eu a comeria viva, com penas e tudo. Estava faminto e a simples ideia do sangue do animal me aumentava a sede. Mas quando a tive entre as mãos, quando senti a palpitação do seu corpo quente, quando vi seus redondos e brilhantes olhos escuros, tive um momento de indecisão.

Certa vez, na coberta do navio, com uma carabina, tentava caçar uma das gaivotas que nos seguiam. O primeiro-oficial, um marinheiro experimentado, me disse: "Não seja mau. A gaivota para o marinheiro é como ver terra. Não é digno de um marinheiro matar uma gaivota." Lembrava-me daquele momento, das palavras do primeiro-oficial, quando estava na balsa com a gaivota capturada, disposto a matá-la e a devorá-la. Apesar de estar há cinco dias sem comer, as palavras do primeiro-oficial ressoavam nos meus ouvidos, como se as estivesse ouvindo. Naquele momento, porém, a fome era mais forte que tudo. Agarrei fortemente sua cabeça e comecei a lhe torcer o pescoço, como a uma galinha.

Era muito frágil. À primeira volta, senti que se quebraram os ossos do seu pescoço. À segunda volta, senti seu sangue, vivo e quente, jorrando por entre meus dedos. Tive pena. Aquilo parecia um assassinato. A cabeça, ainda palpitante, se desprendeu do corpo e ficou pulsando na minha mão.

O jorro de sangue na balsa excitou os peixes. A barriga branca e brilhante de um tubarão roçou a borda: um tubarão enlouquecido pelo cheiro do sangue pode cortar, com uma mordida, uma lâmina de aço. Como suas mandíbulas estão colocadas debaixo do corpo, tem que se virar para comer. Mas como é míope e voraz, quando se vira, barriga para cima, arrasta tudo o que encontra na passagem. Tenho a impressão de que nesse momento o tubarão tentou investir contra a balsa. Aterrorizado, joguei para ele a cabeça da gaivota e vi, a poucos centímetros da borda, a tremenda confusão daqueles enormes animais que disputavam uma cabeça de gaivota, menor que um ovo.

A primeira coisa que tratei de fazer foi depená-la. Era excessivamente leve e os ossos tão frágeis que se quebravam com os dedos. Tentava arrancar-lhe as penas, mas estavam tão grudadas à pele, delicada e branca, que a carne se desprendia e se misturava às penas ensanguentadas. A substância negra e viscosa nos dedos me produziu uma sensação de repugnância.

É fácil dizer que depois de cinco dias de fome se é capaz de comer qualquer coisa. Porém, por mais faminto que se esteja, a gente sente nojo de uma mistura de penas e sangue quente, com um forte cheiro a peixe cru e a sarna.

No começo tentei depená-la cuidadosamente, com algum método. Não contava, porém, com a fragilidade de sua pele. Começou a se desmanchar entre minhas mãos. Então eu a lavei dentro da balsa e abri-a com um puxão; a presença de seus intestinos rosados, de suas vísceras azuis me revoltou o estômago. Levei à boca um pedaço de coxa, mas não pude engolir. Era simples. Parecia que estava mastigando uma rã. Sem poder disfarçar a náusea, joguei fora o pedaço que tinha na boca e permaneci longo tempo imóvel, com aquele asqueroso punhado de penas e ossos sangrentos na mão.

A primeira coisa que me ocorreu foi que aquilo que não conseguia comer me serviria de isca. Mas não tinha com que pescar. Se pelo menos tivesse um alfinete. Um pedaço de arame. Não tinha nada a não ser as chaves, o relógio, o anel e os três cartões da loja de Mobile.

Pensei no cinturão. Poderia improvisar um anzol com a fivela. No entanto, meus esforços foram inúteis. Era impossível improvisar um anzol com o cinturão. Estava anoitecendo e os peixes, enlouquecidos pelo cheiro do sangue, davam saltos em torno da balsa. Quando escureceu por completo, joguei na água os restos da gaivota e me deitei para morrer. Enquanto preparava o remo para me deitar, ouvi a guerra silenciosa dos animais disputando os restos do que eu não pudera comer.

Acho que nessa noite teria morrido de esgotamento e desespero. Levantou-se um vento forte desde as primeiras horas. A balsa dava solavancos, enquanto eu, sem sequer pensar na precaução de me amarrar aos cabos, jazia exausto dentro da água, apenas com os pés e a cabeça fora dela.

Depois da meia-noite, entretanto, houve uma mudança: saiu a lua. Desde o dia do acidente, foi a primeira noite de lua. Sob a claridade azul, a superfície do mar ganha um aspecto espectral. Jaime Manjarrés não veio nessa noite. Fiquei só, desesperado, abandonado à minha sorte, no fundo da balsa.

Apesar disso, cada vez que meu ânimo diminuía, acontecia algo que fazia renascer minha esperança. Nessa noite foi o reflexo da lua nas ondas. O mar estava agitado e em cada onda me parecia ver a luz de um navio. Havia duas noites que tinha perdido as esperanças de que um navio me resgatasse. Mesmo assim, ao longo daquela noite transparente pela luz da lua — minha sexta noite no mar — fiquei examinando desesperadamente o horizonte, quase com tanta intensidade e tanta fé como na primeira. Se agora me encontrasse nas mesmas circunstâncias, morreria de desespero: agora sei que a rota por onde a balsa navegava não era a de nenhum navio.

Eu era um morto

Não me lembro do amanhecer do sexto dia. Tenho uma ideia nebulosa de que, durante toda a manhã, fiquei prostrado no fundo da balsa, entre a vida e a morte. Nesses momentos, pensava em minha família e a via tal como me contaram agora que esteve durante os dias do meu desaparecimento. Não fiquei surpreso com a notícia de que tinham me prestado homenagens fúnebres. Naquela sexta manhã de solidão no mar, pensei que tudo isso estava acontecendo. Sabia que haviam comunicado à minha família o meu desaparecimento. Como os aviões não voltaram, sabia que tinham desistido da busca e que me haviam declarado morto.

Nada disso era errado, até certo ponto. Em todos os momentos, tratei de me defender. Encontrei sempre um meio de sobreviver, um ponto de apoio, por insignificante que fosse, para continuar esperando. No sexto dia, porém, já não esperava mais nada. Eu era um morto na balsa.

À tarde, pensando que logo seriam cinco horas e os tubarões voltariam, fiz um desesperado esforço para me levantar e me amarrar à borda. Em Cartagena, há dois anos, vi na praia os restos de um homem destroçado por tubarão. Não queria morrer assim. Não queria ser repartido em pedaços entre um montão de animais insaciáveis.

Eram quase cinco horas. Pontuais, os tubarões estavam ali, rondando a balsa. Levantei-me penosamente para desatar os cabos do estrado. A tarde era fresca. O mar, tranquilo. Senti-me ligeiramente fortalecido. Subitamente, vi outra vez as sete gaivotas do dia anterior e essa visão infundiu em mim renovados desejos de viver.

Nesse instante teria comido qualquer coisa. A fome me incomodava. Mas o pior era a garganta doente e a dor nas mandíbulas, endurecidas pela falta de exercício. Precisava mastigar alguma coisa. Tentei arrancar tiras de borracha dos sapatos, mas não tinha com que cortá-las. Foi então que me lembrei dos cartões da loja de Mobile.

Estavam num dos bolsos da calça, quase completamente desfeitos pela umidade. Rasguei-os, levei-os à boca e comecei a mastigar. Foi um milagre: a garganta se aliviou um pouco e a boca se encheu de saliva. Lentamente continuei mastigando, como se aquilo fosse chiclete. Na primeira mastigada, doeram as mandíbulas. Depois, à medida que mastigava o cartão que guardei sem saber por que, desde o dia em que fui fazer compras com Mary Address, me senti mais forte e otimista. Pensava continuar mastigando os cartões indefinidamente para aliviar a dor das mandíbulas e até achei que seria um desperdício jogá-los ao mar. Senti descer até o estômago a minúscula papa de papelão moído e desde esse instante tive a sensação de que me salvaria, de que não seria destroçado pelos tubarões.

Que gosto têm os sapatos?

O alívio que senti com os cartões me aguçou a imaginação para continuar procurando coisas de comer. Se tivesse uma navalha teria cortado os sapatos e mastigado tiras de borracha. Era o mais tentador que tinha ao alcance da mão. Tentei separar com as chaves a sola branca e limpa, mas meus esforços foram inúteis. Era impossível arrancar uma tira dessa borracha solidamente colada à fazenda.

Desesperadamente, mordi o cinturão até que me doessem os dentes. Não consegui arrancar nenhum pedaço. Nesse momento devia parecer uma fera, tentando cortar com os dentes pedaços de sapato, do cinto e da camisa. Ao anoitecer, tirei a roupa, completamente empapada. Fiquei de cuecas. Não sei se foi por causa dos cartões, mas quase imediatamente depois estava dormindo. Na minha sétima noite, talvez porque já estivesse acostumado ao desconforto da balsa, talvez porque estivesse esgotado após sete noites de insônia, dormi profundamente durante longas horas. Às vezes uma onda me acordava; dava um pulo, assustado, sentindo que a força do golpe me arrastava para a água. Imediatamente depois voltava a dormir.

Afinal, amanheceu o meu sétimo dia no mar. Não sei por que estava certo de que esse não seria o último. O mar estava tranquilo e nublado, e quando o sol saiu, mais ou menos às oito da manhã, eu me sentia reconfortado pelo bom sono da noite. Contra o céu cinza e baixo passaram sobre a balsa as sete gaivotas.

Dois dias antes eu sentira uma grande alegria vendo as sete gaivotas. Mas quando as vi pela terceira vez, depois de tê-las visto durante dois dias consecutivos, senti o terror renascer. "São sete gaivotas perdidas", pensei, com desespero. Todo marinheiro sabe que, às vezes, um bando de gaivotas se perde no mar e voa sem direção, durante vários dias, até encontrar e seguir um barco que lhes indique a direção do porto. Talvez aquelas gaivotas que vira durante três dias fossem as mesmas todos os dias, perdidas no mar. Isso significava que eu me distanciava cada vez mais da terra.

CAPÍTULO VIII

Minha luta com os tubarões por um peixe

A ideia de que em vez de me aproximar da costa estava me internando no mar durante sete dias me tirou o ânimo para continuar lutando. Mas quando a gente se sente à beira da morte, o instinto de conservação se aguça. Por várias razões aquele dia — o sétimo — era muito diferente dos anteriores: o mar estava parado e escuro; o sol me queimava a pele, morno, calmante, e uma brisa tênue empurrava a balsa com suavidade e me aliviava um pouco das queimaduras.

Os peixes também eram diferentes. Desde muito cedo escoltavam a balsa. Nadavam na superfície. Via-os com nitidez: peixes azuis, pardos e vermelhos. De todas as cores, de todas as formas e tamanhos. Navegando junto a eles, a balsa parecia deslizar sobre um aquário.

Não sei se depois de sete dias sem comer, à deriva no mar, a gente chega a se acostumar a essa vida. Talvez sim. O desespero do dia anterior foi substituído por uma resignação molenga e sem sentido. Estava certo de que tudo era diferente, de que o mar e o céu tinham deixado de ser hostis, e que os peixes que me acompanhavam na viagem eram amigos. Meus velhos conhecidos de sete dias.

Nessa manhã não pensei em chegar a nenhuma parte. Tinha certeza de que a balsa navegava numa região sem navios na qual até as gaivotas se perdiam.

Pensava, entretanto, que, depois de ter estado sete dias à deriva, chegaria a me acostumar ao mar, ao meu angustioso método de vida, sem necessidade de excitar a imaginação para sobreviver. Afinal de contas, sobrevivia há uma semana contra vento e maré. Por que não poderia continuar vivendo indefinidamente numa balsa? Os peixes nadavam na superfície, o mar estava limpo e sereno. Havia tantos animais bonitos e tentadores à volta da embarcação que pensei que poderia agarrá-los aos punhados. Não havia nenhum tubarão à vista. Ousadamente, meti a mão na água e tentei agarrar um peixe redondo, azul, brilhante, de uns 20 centímetros. Foi como se tivesse atirado ali uma pedra. Todos os peixes mergulharam precipitadamente. Desapareceram na água, momentaneamente revolta. Em seguida, pouco a pouco, voltaram à superfície.

Pensei que seria preciso um pouco de esperteza para pescar com a mão. Debaixo da água a mão não tinha a mesma força nem a mesma habilidade. Escolhia um peixe no grupo. Tentava agarrá-lo. E agarrava, de fato. Mas eu o sentia escapar por entre os dedos, com uma rapidez e uma agilidade que me desconcertavam. Fiquei assim, paciente, sem me apressar, procurando capturar um peixe qualquer. Não pensava no tubarão, que talvez estivesse ali, no fundo, esperando que eu mergulhasse o braço até o cotovelo para levá-lo com uma mordida certeira. Até um pouco depois das dez estive ocupado com essa tarefa. Mas foi inútil. Eles me mordiam os dedos, primeiro suavemente, como quando beliscavam uma isca. Depois, com mais força. Um peixe de meio metro, liso e prateado, com pequenos dentes afiados, me tirou a pele do polegar. Então percebi que as mordidas dos outros peixes não foram inofensivas. Em todos os dedos havia pequenos cortes sangrentos.

Um tubarão na balsa!

Não sei se foi meu sangue, mas um momento depois havia uma revolução de tubarões à volta da balsa. Nunca tinha visto tantos. Nunca os vira dar mostra de tal voracidade. Saltavam como delfins, perseguindo, devorando peixes junto à borda. Atemorizado, sentei-me no interior da balsa e fiquei contemplando o massacre.

A coisa aconteceu tão violentamente que não percebi em que momento o tubarão saltou fora da água, deu uma forte rabanada, e a balsa, oscilando, afundou na espuma brilhante. Em meio ao brilho da tromba-d'água que estourou contra a borda, consegui ver um relâmpago metálico. Instintivamente, agarrei um remo e me preparei para desferir o golpe de morte: estava certo de que o tubarão entrara na balsa. De relance, vi a barbatana enorme que sobressaía pela borda e percebi o que tinha acontecido. Perseguido pelo tubarão, um peixe brilhante e verde, de meio metro de comprimento, saltara para dentro da balsa. Com todas as minhas forças, desferi o primeiro golpe de remo na sua cabeça.

Não é fácil matar um peixe dentro de uma balsa. A cada golpe a embarcação oscilava; ameaçava emborcar. O momento era tremendamente perigoso. Precisava de todas as minhas forças e de toda a minha lucidez. Se desferisse os golpes desordenadamente a balsa podia virar. Eu teria caído numa água cheia de tubarões famintos. Mas se não golpeasse com precisão a presa escapava. Estava entre a vida e a morte. Ou caía entre as goelas dos tubarões, ou ganhava dois quilos de peixe fresco para matar a fome de sete dias.

Apoiei-me firmemente na borda e desferi o segundo golpe. Senti a madeira do remo entrar nos ossos da cabeça do peixe. A balsa oscilou. Os tubarões se sacudiram sob o estrado. Eu estava firmemente recostado à borda. Quando a embarcação recuperou a estabilidade, o peixe continuava vivo, no centro da balsa. Na agonia, um peixe pode saltar mais alto e mais longe que nunca. Eu sabia, então, que o terceiro golpe deveria ser certeiro ou perderia a presa para sempre.

De um salto, sentei-me no estrado, assim teria maiores possibilidades de agarrá-lo. E o teria capturado com os pés, entre os joelhos, ou com os dentes, se tivesse sido necessário. Segurei-me com força no estrado. Tentando não errar, convencido de que minha vida dependia daquele golpe, deixei cair o remo com todas as minhas energias. O peixe ficou imóvel com o impacto e um fio de sangue escuro tingiu a água da balsa.

Eu mesmo senti o cheiro do sangue. Os tubarões também o sentiram. Pela primeira vez, então, com dois quilos de peixe à minha disposição, senti um terror incontrolável: enlouquecidos pelo cheiro de sangue, os tubarões se lançavam com todas as suas forças contra o estrado. A balsa oscilava. Sabia que de um momento para o outro ela podia emborcar. Seria coisa de um segundo. Em tempo menor do que o de um relâmpago, eu teria sido despedaçado pelas três fileiras de dentes de aço que o tubarão tem em cada mandíbula.

Apesar disso, o aperto da fome era então superior a tudo. Segurei o peixe entre as pernas e me dediquei, cambaleando, à difícil tarefa de equilibrar a balsa cada vez que sofria uma nova arremetida das feras. Aquilo durou vários minutos. Cada vez que a embarcação se estabilizava, eu atirava pela borda a água sanguinolenta. Pouco a pouco a superfície ficou limpa e as feras se acalmaram. Mas devia tomar cuidado: uma pavorosa barbatana de tubarão — a maior barbatana de tubarão ou de qualquer animal que tinha visto em toda minha vida — despontava mais de um metro acima da borda. Nadava mansamente, mas eu sabia que se sentisse de novo o cheiro de sangue daria uma sacudida capaz de virar a balsa. Com grandes precauções, me dispus a abrir o peixe.

Um animal de meio metro está protegido por uma dura crosta de escamas. Quando se tenta arrancá-las, sente-se que aderem à carne como lâminas de aço. Eu não dispunha de nenhum instrumento cortante. Tentei tirar as escamas com as chaves, mas nem sequer consegui amolecê-las.

Enquanto isso, notei que nunca tinha visto um peixe como aquele: era de um verde forte, solidamente escamado. Desde garoto tenho relacionado a cor verde com os venenos. É incrível, mas apesar de meu estômago palpitar dolorosamente com a simples perspectiva de um pedaço de peixe fresco, tive um momento de vacilação ante a ideia de que aquele estranho animal fosse venenoso.

Meu pobre corpo

Apesar de tudo, a fome é suportável quando não se tem esperanças de encontrar alimentos. Nunca tinha sido tão implacável, porém, como naquele momento, em que eu, sentado no fundo da balsa, tentava romper com as chaves aquela carne verde e brilhante.

Em poucos minutos compreendi que precisava agir com mais violência se, de fato, queria comer minha presa. Levantei-me, pisei firmemente no rabo do peixe e meti o cabo do remo nas suas guelras. Tinha uma carapaça grossa e resistente. Escavando com o cabo do remo, consegui, afinal, arrebentar suas guelras, mas percebi que ainda não estava morto. Desferi outro golpe na sua cabeça. Depois, tentei arrancar as duras lâminas protetoras das guelras e nesse momento não soube se o sangue que corria por meus dedos era meu ou do peixe. Estava com as mãos feridas e as pontas dos dedos em carne viva.

O sangue voltou a despertar a fome dos tubarões. Custa acreditar que, naquele momento, sentindo à minha

volta a fúria das feras famintas, sentindo repugnância pela carne ensanguentada, estive a ponto de jogar o peixe aos tubarões, como fiz com a gaivota. Estava desesperado, impotente ante aquele corpo sólido, impenetrável.

Examinei o peixe minuciosamente, procurando suas partes macias. Afinal, encontrei um pedaço debaixo das guelras; com o dedo, comecei a tirar suas tripas. As vísceras de um peixe são macias e inconsistentes. Dizem que um forte puxão no rabo faz o estômago e os intestinos de um tubarão saírem expelidos pela boca. Em Cartagena vi tubarões pendurados pelo rabo, com uma enorme, escura e viscosa massa de vísceras pendente da mandíbula.

Por sorte, as vísceras do meu peixe eram tão macias quanto as dos tubarões. Em um momento tirei-as com o dedo. Era uma fêmea: entre as vísceras havia uma enfiada de ovos. Quando ficou completamente destripado, dei a primeira mordida. Não pude penetrar a casca de escamas. Na segunda tentativa, porém, com forças renovadas, mordia desesperadamente, até me doerem as mandíbulas. Então consegui arrancar o primeiro bocado e comecei a mastigar a carne fria e dura.

Mastigava com nojo. O cheiro de peixe cru sempre me repugnou, mas o sabor é ainda mais asqueroso: lembra um pouco o sabor de *chontaduro** cru, porém, mais forte e viscoso. Nunca ninguém comeu um peixe vivo. Mas quando mastigava o primeiro alimento que chegava à minha boca em sete dias, tive, pela primeira vez na vida, a repugnante certeza de que estava comendo um peixe vivo.

---

*Planta colombiana, uma espécie de palma cujo fruto é comestível.

Com o primeiro pedaço, senti um alívio imediato. Uma nova mordida, e voltei a mastigar. Um momento antes tinha pensado que era capaz de comer um tubarão inteiro. Mas, engolido o segundo pedaço, fiquei farto. Minha terrível fome de sete dias se aplacou num instante. Voltei a me sentir forte, como no primeiro dia.

Agora sei que o peixe cru acalma a sede. Antes não o sabia, mas observei que o peixe não só havia me aplacado a fome como também a sede. Estava satisfeito e otimista. Ainda me sobrava alimento para muito tempo, pois só dera duas mordidas num peixe de meio metro.

Decidi embrulhá-lo na camisa e deixá-lo no fundo da balsa, para que se mantivesse fresco. Antes, porém, tinha que lavá-lo. Distraidamente, agarrei-o pelo rabo e o mergulhei uma vez por fora da borda. Mas o sangue estava coagulado entre as escamas. Tinha que esfregá-lo. Ingenuamente voltei a mergulhá-lo. Foi então que senti a investida e o violento matraquear das mandíbulas do tubarão. Apertei o rabo do peixe com todas as minhas forças. O puxão da fera me fez perder o equilíbrio. Fui de encontro à borda, mas continuei agarrado ao meu alimento. Defendi-o como uma fera. Nessa fração de segundo, não pensei que uma nova mordida do tubarão podia me arrancar o braço todo. Voltei a puxar com todas as minhas forças, mas já não havia nada em minhas mãos. O tubarão levara minha presa. Enfurecido, louco de desespero e de raiva, agarrei um remo e desferi um tremendo golpe na cabeça do tubarão, quando ele voltou a passar junto à balsa. O animal deu um pinote. Voltou-se furiosamente e com uma só mordida, seca e violenta, despedaçou e engoliu a metade do remo.

CAPÍTULO IX

Começa a mudar a cor da água

Com o remo partido, desesperado pela raiva, continuei golpeando a água. Precisava me vingar dos tubarões que me arrebataram das mãos o único alimento de que dispunha. Eram quase cinco da tarde do meu sétimo dia no mar. Em pouco tempo viriam os tubarões em massa. Eu, porém, me sentia forte só com os dois pedaços que consegui comer, e a raiva causada pela perda do resto do peixe me dava um estranho ânimo para lutar. Na balsa ainda havia dois remos. Pensei trocar por outro o remo partido, para continuar brigando com as feras. Mas o instinto de conservação foi mais forte que a raiva: poderia perder os outros remos e não sabia em que momento iria precisar deles.

O anoitecer foi igual ao de todos os dias. A noite, entretanto, foi mais escura. O mar estava borrascoso. Ameaçava chuva. Pensando que de um momento para o outro poderia dispor de água potável, tirei os sapatos e a camisa, para ter onde recolhê-la. Era o que em terra firme se chama "uma noite de cão". No mar deve se chamar "uma noite de tubarões".

Antes das nove começou a soprar o vento gelado. Tentei resistir no fundo da balsa, mas não foi possível. O frio me penetrava até o fundo dos ossos. Tive que vestir a camisa e os sapatos e me resignar à ideia de que a chuva me pegaria de surpresa e eu não teria com que recolher a água. As ondas eram mais fortes que na tarde de 28 de fevereiro, dia do acidente. A balsa parecia uma casca de ovo no mar agitado e opaco. Não podia dormir. Tinha me afundado na água até o pescoço, porque o ar estava cada vez mais gelado. Tremia. Por um momento pensei que não poderia resistir ao frio e comecei a fazer exercícios para me aquecer. Era impossível. Estava muito fraco e ainda tinha que me agarrar fortemente à borda para evitar que a força das ondas me jogasse na água. Tinha a cabeça apoiada no remo destroçado pelo tubarão. Os outros estavam no fundo da balsa.

Antes da meia-noite aumentou o vendaval, o céu ficou denso e de uma cor cinza-escura, e o ar úmido, mas não havia caído nem uma só gota. Poucos minutos depois, uma onda enorme — tão grande como a que varrera a coberta do destróier — levantou a balsa como se fosse uma casca de banana, projetou-a primeiro para cima, e numa fração de segundo fez com que emborcasse.

Só percebi isso quando estava na água, nadando para cima, como na tarde do acidente. Nadei desesperadamente, saí à superfície e fui tomado de um medo mortal: não vi a balsa. Vi as enormes ondas negras sobre minha cabeça e me lembrei de Luís Rengifo, um homem forte, um bom nadador bem alimentado, que não pôde alcançar a balsa a dois metros de distância. Desorientado, procurava a balsa pelo lado contrário. Atrás de mim, mais ou menos a um metro de distância, ela apareceu na superfície, leve, batida pelas ondas. Alcancei-a em duas braçadas. Duas braçadas se dão em dois segundos, mas aqueles dois segundos foram eternos. Tão assustado estava que, de um salto, me encontrei ofegando, completamente molhado, no fundo da embarcação. Meu coração dava pulos dentro do peito; eu não conseguia respirar.

Minha boa estrela

Não podia reclamar da minha sorte. Se aquela emborcada tivesse sido às cinco da tarde, os tubarões teriam me destroçado. À meia-noite, eles estão em paz, principalmente quando o mar está agitado.

De novo na balsa, vi que segurava com força o remo que o tubarão destroçara. Aquilo aconteceu com tanta rapidez que todos os meus movimentos foram instintivos. Mais tarde me lembrei que ao cair na água o remo bateu na minha cabeça e eu o recuperei quando comecei a afundar. Foi o único remo que ficou na balsa. Os outros dois tinham ficado no mar.

Para não perder este pedaço de pau destroçado pelos tubarões, amarrei-o fortemente com um dos cabos soltos do estrado. O mar continuava furioso. Desta vez, tinha tido sorte. Se a balsa voltasse a emborcar, não conseguiria alcançá-la. Pensando nisso, tirei o cinto e me amarrei fortemente aos cabos do estrado.

As ondas continuaram batendo contra as bordas. A balsa dançava no mar bravo e escuro, mas eu estava seguro, amarrado pelo cinto ao estrado. O remo também estava seguro. Fazendo esforços para evitar que a embarcação virasse de novo, pensei que estivera a ponto de perder a camisa e os sapatos. Não fosse o frio, estariam no fundo da balsa quando esta emborcara, e junto com os dois remos cairiam ao mar.

É muito normal que uma balsa vire num mar picado Feita de cortiça, forrada com um tecido impermeabilizante pintado de branco, seu piso não é fixo; está pendurado ao marco de cortiça, como uma cesta. A balsa pode dar voltas na água, seu piso, porém, recupera imediatamente a posição normal. O único perigo é o de perder a balsa. Então eu pensava que enquanto estivesse amarrado ao estrado a balsa podia dar mil voltas sem perigo de perdê-la.

Isso era certo. De uma coisa, entretanto, eu me esquecera: 15 minutos depois da primeira, a balsa deu uma segunda e espetacular emborcada. Primeiro, me senti suspenso no ar gelado e úmido, açoitado pelo vendaval. Vi diante dos meus olhos o abismo e percebi para que lado a balsa ia virar. Tentei navegar para o outro lado, para equilibrar a embarcação, mas a forte correia de couro amarrada ao estrado me impediu de fazê-lo. Logo compreendi o que estava acontecendo: a balsa dera uma volta completa. Eu estava no fundo, amarrado firmemente à borda. Estava me afogando e minhas mãos procuravam em vão a fivela do cinto para soltá-la.

Desesperadamente, mas tentando não me apavorar, tentei abrir a fivela. Sabia que não tinha muito tempo: em bom estado físico, posso ficar mais de 80 segundos sob a água. Tinha parado de respirar desde o momento em que me sentira no fundo da balsa. Já se passavam, pelo menos, cinco segundos. Corri a mão ao redor da cintura e creio que em menos de um segundo encontrei o cinto. Um segundo mais, encontrei a fivela. Estava apertada contra o estrado, de modo que eu devia me levantar da balsa com a outra mão para afrouxar a pressão. Demorei muito para encontrar onde me agarrar fortemente. Depois, levantei-me com força sobre o braço esquerdo. A mão direita encontrou a fivela, e rapidamente afrouxou a correia. Mantendo a fivela aberta, deixei cair, de novo, o corpo até o fundo, sem me soltar da borda, e numa fração de segundo me livrei do estrado. Sentia os pulmões quase explodindo. Com um último esforço, agarrei-me à borda com as duas mãos, suspendi-me com todas as minhas forças, ainda sem respirar. Sem querer, com meu peso, não consegui outra coisa senão virar a balsa de novo. E voltei a ficar debaixo dela.

Estava bebendo água. A garganta, ferida pela sede, ardia terrivelmente. Eu mal o sentia. O importante era não soltar a balsa. Consegui tirar a cabeça para fora da água. Respirei. Estava esgotado. Não acreditei que tivesse forças para subir pela borda. Estava ao mesmo tempo atemorizado, metido na água que, poucas horas antes, vira infestada de tubarões. Certo de que aquele dia seria o do último esforço que devia fazer em minha vida, apelei para meus últimos vestígios de energia, suspendi-me na borda e caí exausto no fundo da balsa.

Não sei quanto tempo fiquei assim, deitado de costas, com a garganta dolorida e as pontas dos dedos latejando profundamente, em carne viva. Só sei que tinha duas preocupações ao mesmo tempo: descansar os pulmões e que a balsa não voltasse a virar.

O sol do amanhecer

Assim amanheceu o meu oitavo dia no mar. Foi uma manhã tempestuosa. Se tivesse chovido, não teria tido forças para recolher a água. Sentia, porém, que a chuva me fortaleceria. Entretanto, não caiu uma só gota, embora a umidade do ar fosse um anúncio de chuva iminente. O mar continuava agitado ao amanhecer. Não se acalmou até depois das oito da manhã, quando saiu o sol e o céu recuperou sua cor azul forte.

Completamente esgotado me debrucei sobre a borda e tomei vários goles de água. Agora sei que é útil ao organismo, mas então não sabia, e só recorria a ela quando a dor na garganta me desesperava. Depois de sete dias sem tomar água, a sede é uma sensação estranha; é uma dor profunda na garganta, no esterno e, principalmente, sob as clavículas. E é o desespero da asfixia. A água do mar me aliviava a dor.

Depois da tormenta, o mar amanhece azul, como nos quadros. Perto da costa a gente vê flutuar mansamente troncos e raízes, arrancados pela tormenta. As gaivotas saem para voar sobre o mar. Nessa manhã, quando passou a brisa, a superfície da água ficou metálica e a balsa deslizou suavemente em linha reta. O vento morno me reconfortou o corpo e o espírito.

Uma gaivota grande, escura e velha voou sobre a balsa. Então, não tive dúvidas de que me encontrava perto de terra. A gaivota que tinha capturado uns dias antes era um animal jovem, com um enorme alcance de voo. Pode ser encontrada a muitas milhas das margens. Mas uma gaivota velha, grande e pesada como a que voava sobre a balsa, no meu oitavo dia, era daquelas que não se afastavam cem milhas da costa. Senti forças renovadas para resistir. Como nos primeiros dias, fiquei a examinar o horizonte. Grandes quantidades de gaivotas se aproximavam por todos os lados.

Estava acompanhado e alegre. Não tinha fome. Com mais frequência que antes, tomava goles de água do mar. Não me sentia sozinho em meio àquela quantidade de gaivotas que voava em torno de minha cabeça. Lembrei-me, então, de Mary Address. "Que teria sido feito dela?", me perguntava, lembrando de sua voz quando me ajudava a traduzir os diálogos dos filmes. Exatamente nesse dia — o único em que me lembrei de Mary Address sem motivo especial, apenas porque o céu estava cheio de gaivotas — Mary estava na igreja católica de Mobile, encomendando missa pelo descanso de minha alma. Aquela missa — segundo Mary me escreveu — foi rezada no oitavo dia do meu desaparecimento. Foi pelo descanso de minha alma. Agora acredito que foi, também, pelo descanso de meu corpo, pois naquela manhã, enquanto me lembrava de Mary Address, ela assistia a uma missa em Mobile e eu me sentia feliz no mar, vendo as gaivotas que anunciavam a proximidade da terra.

Durante quase todo o dia fiquei sentado na borda, examinando o horizonte. O dia era de uma espantosa claridade. Estava certo de que veria a terra a uma distância de 50 milhas. A balsa ganhara uma velocidade que dois homens com quatro remos não lhe teriam podido imprimir. Navegava em linha reta, como impulsionada por um motor, numa superfície lisa e azul.

Depois de sete dias numa balsa, a gente é capaz de perceber a mais imperceptível mudança na cor da água. A 7 de março, às 3h30 da tarde, percebi que a balsa entrava numa zona onde a água não era azul, mas verde-escura. Houve um instante em que defini o limite: deste lado, a superfície azul que vira durante sete dias; do outro, a superfície verdosa e aparentemente mais densa. O céu estava cheio de gaivotas que passavam voando muito baixo. Sentia suas fortes batidas de asa sobre minha cabeça. Eram indícios inequívocos; a mudança na cor da água, a abundância de gaivotas me diziam que nessa noite deveria permanecer acordado, pronto a descobrir as primeiras luzes da costa.

CAPÍTULO X

Perdidas as esperanças... até à morte

Não precisei fazer força para dormir durante minha oitava noite no mar. A velha gaivota pousou na borda da balsa desde as nove horas e dali não se afastou durante toda a noite. Eu estava recostado no remo que me restava: o pedaço destroçado pelo tubarão. A noite era tranquila e a balsa avançava em linha reta até um ponto determinado "Aonde chegaria?", eu me perguntava, convencido pelos indícios — a cor da água e a velha gaivota — de que no dia seguinte estaria em terra firme. Não tinha, entretanto, a menor ideia do lugar para onde se dirigia a balsa impulsionada pela brisa.

Não estava certo de que o bote tivesse conservado a direção inicial. Se houvesse seguido o rumo dos aviões, era provável que chegasse à Colômbia. Mas sem uma bússola, era impossível saber. Se estivesse viajando para o Sul, em linha reta, chegaria, sem dúvida, às costas colombianas do Caribe. Também era possível que estivesse viajando para o Norte. Nesse caso, não tinha a menor ideia da minha posição.

Antes da meia-noite, quando caía vencido pelo sono, a velha gaivota se aproximou para bicar minha cabeça. Não me incomodava. Bicava suavemente, sem machucar meu couro cabeludo. Parecia que estava me acariciando. Lembrei-me do primeiro-oficial do destróier, que achava uma indignidade um marinheiro matar uma gaivota, e senti remorso pela pequena gaivota que matara inutilmente.

Examinei o horizonte até a madrugada. Nessa noite não fez frio. Não pude descobrir nenhuma luz. Não havia sinais de costa. A balsa deslizava por um mar claro e tranquilo, mas não havia em torno de mim uma só luz que não fosse a das estrelas. Quando fiquei inteiramente quieto, a gaivota parecia dormir. Baixava a cabeça, encostado à borda, e ela permanecia também imóvel durante longo tempo. Tão logo me mexia, ela dava um salto e se punha a bicar minha cabeça.

De madrugada mudei de posição. Deixei a gaivota do lado dos meus pés. Percebi que bicava meus sapatos. Logo, senti que se aproximava pela borda. Permaneci imóvel. A gaivota ficou completamente imóvel. Depois, pousou junto à minha cabeça, também imóvel. E, de novo, no instante em que mexi a cabeça, ela começou a bicar meu cabelo, quase com ternura. Aquilo já virara uma brincadeira. Mudei várias vezes de posição. E várias vezes a gaivota se mexeu ao lado da minha cabeça. Já ao amanhecer, sem necessidade de agir com cautela, estendi a mão e a agarrei pelo pescoço.

Não pensei em matá-la. A experiência com a outra gaivota me indicava que seria um sacrifício inútil. Tinha fome, mas não pensava em saciá-la naquele animal amigo, que havia me acompanhado durante toda a noite, sem me incomodar. Quando a agarrei, ela estendeu as asas, se sacudiu bruscamente e tentou se libertar. Num instante trancei suas asas sobre o pescoço, para imobilizá-la. Levantou, então, a cabeça e às primeiras luzes do dia vi seus olhos, transparentes e assustados. Mesmo que em algum momento tivesse pensado em matá-la, ao ver seus enormes olhos tristes teria desistido desse propósito.

O sol saiu cedo, com uma força que fez o ar ferver desde as sete. Eu continuava deitado na balsa, com a gaivota firmemente presa. O mar era ainda verde e espesso, como no dia anterior, mas não havia, de nenhum lado, sinais da costa. O ar era sufocante. Soltei, então, minha prisioneira, que sacudiu a cabeça e saiu em disparada rumo ao céu. Um momento depois já estava incorporada ao bando.

O sol foi nessa manhã — minha nona manhã no mar — muito mais abrasador que em todos os dias anteriores. Embora houvesse tomado cuidado para que nunca me batesse nos pulmões, tinha as costas empoladas. Tive que afastar o remo em que me apoiava e me afundar na água, porque já não resistia ao contato da madeira nas costas. Meus ombros e braços estavam queimados, não podia sequer me tocar na pele com os dedos, porque a sentia como se fosse brasa viva. Tinha os olhos irritados. Não era capaz de fixá-los em nenhum ponto: o ar se enchia de círculos luminosos e enceguecedores. Até esse dia não tinha percebido o lamentável estado em que me encontrava. Estava acabado, ferido pela água salgada e pelo sol. Sem nenhum esforço, arrancava dos braços grandes pedaços de pele, fazendo aparecer uma superfície vermelha e lisa. Um instante depois, sentia palpitar dolorosamente o espaço descascado e o sangue brotava dos poros.

Ainda não tinha notado a barba. Estava há 11 dias sem me barbear e a barba cheia já atingia o pescoço. Mas eu não podia tocá-la, pois a pele doía, terrivelmente irritada pelo sol. A ideia de meu rosto magro, de meu corpo empolado, me fez lembrar o muito que havia sofrido naqueles dias de solidão e desespero. Então, outra vez me senti desesperado. Não havia sinais de costa. Era meio-dia e voltei a perder as esperanças de chegar a terra. Por mais que a balsa andasse, era impossível chegar à praia antes do anoitecer, já que ainda não haviam aparecido, de nenhum lado, os perfis da costa.

"Quero morrer"

Uma alegria construída em 12 horas desapareceu num minuto, sem deixar rastros. Minhas forças desabaram. Desisti de todas as minhas preocupações. Pela primeira vez em nove dias me deitei de bruços, com as costas abrasadas expostas ao sol. Fiz isso sem piedade do meu corpo. Sabia que, se permanecesse assim, antes do anoitecer teria me asfixiado.

Há um instante em que não se sente mais dor. A sensibilidade desaparece e a razão começa a se embotar até que se perde a noção de tempo e espaço. De bruços na balsa, com os braços apoiados na borda e a barba nos braços, senti, no começo, as impiedosas picadas do sol. Vi o ar povoado de pontos luminosos, durante várias horas. Finalmente fechei os olhos, extenuado, mas então o sol já não me ardia no corpo. Não sentia nem sede nem fome. Não sentia nada, a não ser uma indiferença total pela vida e pela morte. Pensei que estava morrendo. E essa ideia me encheu de uma estranha e obscura esperança.

Quando abri os olhos estava outra vez em Mobile. Fazia um calor asfixiante e eu tinha ido a uma festa ao ar livre, com outros companheiros do destróier e com o judeu Massey Nasser, empregado da loja de Mobile onde os marinheiros compravam roupa. Foi ele quem me dera os cartões. Durante os oito meses em que o navio esteve em reparos, Massey Nasser se dedicou a atender os marinheiros colombianos, e nós, como prova de gratidão, não comprávamos em outra loja que não fosse a sua. Ele falava espanhol corretamente, embora, segundo nos disse, nunca tivesse estado num país de língua castelhana.

Nesse dia, como em todos os sábados, estávamos naquele café ao ar livre, onde só havia judeus e marinheiros colombianos. A mesma mulher de todos os sábados dançava num estrado de madeira. Tinha o ventre nu e o rosto coberto por um véu, como todas as bailarinas árabes do cinema. A gente aplaudia e tomava cerveja em lata. O mais alegre de todos era Massey Nasser, o empregado judeu da loja de Mobile, que vendia roupa fina e barata a todos os marinheiros colombianos.

Não sei quanto tempo fiquei assim, entorpecido, com a alucinação da festa de Mobile. Só sei que de repente dei um salto na balsa e estava entardecendo. Vi, então, a cinco metros da balsa, uma enorme tartaruga amarela de cabeça rajada; seus olhos, fixos e inexpressivos como duas gigantescas bolas de vidro, olhavam-me incrivelmente. No princípio pensei que era outra alucinação e me sentei na balsa, aterrorizado. O monstruoso animal, que media uns quatro metros da cabeça ao rabo, mergulhou quando viu que eu me mexia, deixando à tona um rastro de espuma. Não sabia se era realidade ou fantasia. E ainda não me atrevo a dizer se era realidade ou fantasia, embora, durante breves minutos, eu tenha visto nadar aquela gigantesca tartaruga amarela à frente da balsa, levando fora da água a sua incrível e pintada cabeça de pesadelo. Só sei que — realidade ou fantasia — bastaria ter tocado na balsa para que esta tivesse virado várias vezes sobre si mesma.

A tremenda visão me fez sentir medo de novo. Mas nesse instante o medo me reconfortou. Agarrei o pedaço de remo, sentei-me na balsa e me preparei para a luta, com esse monstro ou com qualquer outro que tentasse virar a balsa. Logo seriam cinco horas. Pontuais, como sempre, os tubarões estavam saindo do fundo do mar para a superfície.

Olhei para o lado da balsa onde anotava os dias e contei oito riscos. Mas me lembrei de que não tinha anotado o daquele dia. Marquei-o com as chaves, convencido de que seria o último, e senti desespero e raiva ante a certeza de que era mais difícil morrer que continuar vivendo. Nessa manhã tinha decidido entre a vida e a morte. Escolhera a morte, e, entretanto, continuava vivo, com o pedaço de remo na mão, disposto a continuar lutando pela vida. A continuar lutando pela única coisa que já não me importava mais.

A raiz misteriosa

Sob aquele sol metálico, naquele desespero, com aquela sede que, pela primeira vez, começava a ser insuportável, aconteceu uma coisa inacreditável: no centro da balsa, enrolada entre os cabos da rede, havia uma raiz vermelha, como essas raízes que se usam em Boyacá para tingir, e de cujo nome não me lembro. Não sei desde quando estava ali. Durante meus nove dias no mar não tinha visto um pedaço de erva na superfície. E, apesar disso, sem que soubesse como, aquela raiz estava ali, enrolada nos cabos da rede, como outro aviso inequívoco da terra que não via por nenhum lado.

Tinha uns 30 centímetros de comprimento. Faminto, mas já sem forças para pensar na fome, mordi despreocupadamente a raiz. Tinha gosto de sangue. Soltava um óleo grosso e doce que me refrescou a garganta. Pensei que tinha gosto de veneno. Continuei comendo, devorando o pedaço de pau retorcido, até que não sobrasse um só fiapo.

Quando acabei de comer, não me senti mais aliviado. Pensei que aquilo era um ramo de oliveira, porque me recordei da história sagrada: quando Noé pôs a pomba a voar, o animal voltou à arca com um ramo de oliveira, sinal de que a água tinha voltado a desocupar a terra. Imaginava que o ramo de oliveira da pomba era como aquele que acabava de distrair minha fome de nove dias.

É possível se passar um ano no mar, mas há um dia em que é impossível suportar uma hora mais. No dia anterior tinha pensado que amanheceria em terra firme. Tinham se passado 24 horas e continuava vendo apenas água e céu. Não esperava mais nada. Era minha nona noite no mar. "Nove noites de morto", pensei com terror, na certeza de que, a essa hora, minha casa do bairro Olaya, em Bogotá, estava cheia de amigos da família. Era a última noite do meu velório. Amanhã desmontariam o altar e, pouco a pouco, iriam se acostumando à minha morte.

Nunca, até essa noite, tinha perdido uma remota esperança de que alguém se lembrasse de mim e tentasse me resgatar. Mas quando me lembrei de que aquela devia ser, para minha família, a nona noite de minha morte, a última do meu velório, senti-me completamente abandonado no mar. Pensei, então, que nada melhor me podia acontecer senão morrer. Deitei-me no fundo da balsa. Quis dizer em voz alta: "Não me levanto mais." A voz, porém, se apagou na garganta. Recordei-me do colégio. Levei à boca a medalha de N. Sra. do Carmo e fiquei rezando mentalmente, como imaginava que, a essa hora, minha família estaria fazendo em minha casa. Então me senti bem, porque sabia que estava morrendo.

CAPÍTULO XI

No 10º dia, outra alucinação: a terra

Minha nona noite no mar foi a mais longa de todas. Tinha me deitado na balsa e as ondas se quebravam suavemente contra a borda. Já não era dono dos meus sentidos Em cada onda que arrebentava junto à minha cabeça eu sentia se repetir o desastre. Dizem que os moribundos "saem a refazer seus passos". Alguma coisa assim me aconteceu naquela noite de recordações. Eu estava outra vez no destróier, deitado entre as geladeiras e as estufas, na popa, com Ramón Herrera, vendo Luís Rengifo de guarda, numa febril recordação do meio-dia de 28 de fevereiro. Cada vez que uma onda arrebentava contra a borda eu sentia que a carga rolava, que eu ia para o fundo do mar e nadava para cima, tentando alcançar a superfície.

Minuto a minuto, meus nove dias de solidão, angústia, fome e sede no mar então se repetiam, nitidamente como numa tela de cinema. Primeiro a queda. Depois meus companheiros, gritando à volta da balsa; mais tarde, a fome, a sede, os tubarões e as lembranças de Mobile passando numa sucessão de imagens. Tomava precauções para não cair. Via-me outra vez na popa do destróier, tentando me amarrar para que a onda não me arrastasse. E me amarrava com tanta força que os punhos doíam, assim como os tornozelos e principalmente o joelho direito. Apesar dos cabos solidamente amarrados, a onda vinha sempre e me arrastava para o fundo do mar. Quando recuperava a lucidez, estava nadando para cima. Asfixiando-me.

Dias antes tinha pensado em me amarrar à balsa. Naquela noite devia fazê-lo, mas não tinha forças para me levantar e procurar os cabos do estrado. Não conseguia pensar. Pela primeira vez em nove dias não entendia minha situação. No estado em que estava, deve se considerar um milagre que naquela noite as ondas não me arrastassem para o fundo do mar. Nem teria percebido. Misturava a realidade às alucinações. Se uma onda tivesse virado a balsa, talvez pensasse que era outra alucinação; teria imaginado que caía outra vez do destróier — como o fiz tantas vezes naquela noite — e num segundo afundaria para alimentar os tubarões, que durante nove dias tinham esperado pacientemente junto à balsa.

De novo, porém, nessa noite, minha boa sorte me protegeu. Fiquei sem sentidos, recapitulando, minuto a minuto, meus nove dias de solidão; agora sei que ia tão seguro como se estivesse amarrado à borda.

Ao amanhecer o vento se tornou gelado. Tinha febre. Meu corpo ardente estremeceu penetrado até os ossos pelo calafrio. O joelho direito começou a doer. O sal do mar tinha mantido seca a ferida, que, entretanto, continuava viva, como no primeiro dia. Tomava cuidado sempre para não a reabrir. Nessa noite, deitado de bruços, apoiara o joelho no fundo da balsa e a ferida latejara dolorosamente. Hoje tenho razões para pensar que a ferida me salvou a vida. Como saindo de um nevoeiro, comecei a sentir a dor. Percebi meu próprio corpo. Senti o vento gelado contra meu rosto febril. Sei agora que durante várias horas fiquei dizendo uma porção de coisas confusas, falando com meus companheiros, tomando sorvete com Mary Address num lugar onde tocava uma música estridente.

Depois de muitas horas, incontáveis, senti que minha cabeça arrebentava. As fontes latejavam e os ossos doíam. Meu joelho estava em carne viva, paralisado pelo inchaço. Era como se ele fosse maior, muito maior que meu corpo.

Só entendi que ainda estava na balsa quando começou a amanhecer. Mas então não sabia quanto tempo levava naquela situação. Lembrei-me, fazendo um esforço supremo, que tinha riscado nove vezes a borda da balsa. Não me lembrava, porém, de quando fizera o último risco. Parecia que muito tempo tinha se passado desde aquela tarde em que comera uma raiz que encontrara enrolada nos cabos da rede. Fora um sonho? Sentia ainda na boca um gosto doce e espesso, mas quando tentava recapitular, não me lembrava dela. Não me havia recuperado. Eu a comera inteira, mas sentia o estômago vazio. Estava sem forças.

Quantos dias se passaram desde então? Sabia que estava amanhecendo, mas não podia saber quantas noites estive exausto no fundo da balsa, esperando uma morte que parecia mais arisca que a terra. O céu ficou vermelho, como no entardecer. E isso também me confundiu: não soube, então, se era um novo dia ou um novo entardecer.

Terra!

Desesperado com a dor no joelho, tentei mudar de posição. Quis me virar, mas foi impossível. Estava tão esgotado que parecia impraticável ficar de pé. Mexi a perna ferida, suspendi-me com as mãos apoiadas no fundo da balsa e me deixei cair de costas, barriga para cima, a cabeça apoiada na borda. Evidentemente, estava amanhecendo. Olhei o relógio. Eram quatro da madrugada. Todos os dias a essa hora examinava o horizonte. Mas já perdera as esperanças de ver terra. Continuei olhando o céu, vendo-o passar do vermelho vivo ao azul pálido. O ar continuava gelado, eu me sentia com febre, e o joelho palpitava com uma dor penetrante. Encontrava-me mal porque não tinha podido morrer. Estava sem forças, mas completamente vivo. E aquela certeza produziu em mim uma sensação de desamparo. Acreditara que não passaria daquela noite. Entretanto, continuava como sempre, sofrendo na balsa e entrando num novo dia, que seria um dia a mais, um dia vazio, com um sol insuportável e uma manada de tubarões em torno da balsa, desde as cinco da tarde.

Quando o céu começou a ficar azul olhei o horizonte. Por todos os lados, ali estava a água verde e tranquila. Diante da balsa, porém, na penumbra do amanhecer, achei uma longa sombra espessa. Contra o céu diáfano, estavam os perfis dos coqueiros.

Senti raiva. No dia anterior, eu me vira numa festa em Mobile. Depois, vira uma gigantesca tartaruga amarela, e durante a noite tinha estado em minha casa de Bogotá, no Colégio La Salle de Villavicencio, e com os meus companheiros do destróier. Agora estava vendo a terra. Se tivesse sofrido aquela alucinação quatro ou cinco dias antes, ficaria louco de alegria. Teria mandado a balsa ao diabo e me atiraria à água para alcançar rapidamente a margem.

No estado em que me encontrava, porém, sempre se está prevenido contra as alucinações. Os coqueiros eram muito nítidos para serem verdadeiros. Além disso, não os via a uma distância constante. Às vezes me parecia vê-los bem do lado da balsa. Mais tarde, pareciam estar a dois, três quilômetros de distância. Por isso não sentia alegria. Por isso insisti nos meus desejos de morrer, antes que as alucinações me enlouquecessem. Voltei a olhar para o céu. Era agora um céu alto e sem nuvens, de um azul forte.

Às 4h45 já se viam no horizonte os resplendores do sol. Antes tinha sentido medo da noite, agora o sol do novo dia me parecia um inimigo. Um gigantesco e implacável inimigo, que vinha me morder a pele ferida, para me enlouquecer de sede e de fome. Amaldiçoei o sol. Amaldiçoei o dia. Amaldiçoei minha sorte, que me tinha permitido suportar nove dias à deriva, em vez de me ter matado de fome ou estraçalhado pelos tubarões.

Como voltava a me sentir incômodo, procurei o pedaço de remo no fundo da balsa para me recostar. Nunca pude dormir com um travesseiro muito duro. Entretanto, agora, procurava com ansiedade um pedaço de pau quebrado pelos tubarões para apoiar a cabeça.

O remo estava no fundo, ainda amarrado aos cabos do estrado. Soltei-o. Ajustei-o bem às minhas costas doloridas, apoiando a cabeça por cima da borda. Então vi claramente, contra o sol vermelho que começava a se levantar, o longo e verde perfil da costa.

Eram quase cinco horas. A manhã era nitidamente clara. Não havia dúvida de que a terra era uma realidade. Todas as alegrias frustradas dos dias anteriores — a alegria dos aviões, das luzes dos barcos, das gaivotas e da cor da água — renasceram então, precipitadamente, à vista da terra.

Se nessa hora eu tivesse comido dois ovos fritos, um pedaço de carne, café com leite e pão — um café completo do destróier — talvez não tivesse sentido tantas forças quanto depois de ter visto aquilo que pensei ser realmente a terra. Levantei-me de um salto. Vi, perfeitamente, diante de mim, a sombra da costa e o perfil dos coqueiros. Não via luzes. Mas à minha direita, a dez quilômetros de distância, os primeiros raios do sol brilhavam com um resplendor metálico nos escarpados. Louco de alegria, segurei o meu pedaço de remo e tentei impulsionar a balsa até a costa, em linha reta.

Calculei que haveria dois quilômetros da balsa até a margem. Estava com as mãos arrebentadas e o exercício me maltratava as costas. Não tinha, porém, resistido nove dias — dez com o que estava começando — para renunciar agora, que estava diante da terra. Suava. O vento frio do amanhecer secava o suor e me causava uma dor intensa nos ossos, mas continuava remando.

Mas, onde está a terra?

Não era um remo para uma balsa como aquela. Era um pedaço de pau. Nem mesmo me servia de sonda para ver a profundidade da água. Durante os primeiros minutos, com a estranha força que a emoção me dava, consegui avançar um pouco. Logo, porém, me senti esgotado, levantei o remo um instante, contemplando a exuberante vegetação que crescia diante dos meus olhos, e vi que uma correnteza paralela à costa impulsionava a balsa para os escarpados.

Lamentei ter perdido meus remos. Sabia que com um deles inteiro teria podido dominar a correnteza. Por pouco tempo pensei que teria paciência para esperar que a balsa chegasse aos escarpados, que brilhavam sob o primeiro sol da manhã como uma montanha de agulhas metálicas. Felizmente, estava tão desesperado para sentir a terra firme sob meus pés que não esperei. Mais tarde soube que eram os baixios de Punta Caribana, e que se tivesse permitido que a corrente me arrastasse, teria me arrebentado contra as rochas.

Tentei avaliar minhas forças. Precisava nadar dois quilômetros para alcançar a costa. Em boas condições, posso nadar dois quilômetros em menos de uma hora. Não sabia quanto tempo podia nadar depois de dez dias sem comer nada mais que um pedaço de peixe e uma raiz, com o corpo empolado pelo sol e o joelho ferido. Mas aquela era minha última oportunidade. Não tive tempo de pensar. Nem tempo para me lembrar dos tubarões. Soltei o remo, fechei os olhos e me atirei à água.

Ao contato com a água gelada me reconfortei. Do nível do mar perdi a visão da costa. Tão logo caí à água, percebi que cometera dois erros: não tirara a camisa nem amarrara os sapatos. Tentei não afundar. Foi essa a primeira coisa que tive que fazer, antes de principiar a nadar. Tirei a camisa e amarrei-a fortemente em volta da cintura. Depois, amarrei os cordões dos sapatos. Aí, sim, comecei a nadar. Primeiro, desesperadamente. Logo, com mais calma, sentindo que a cada braçada se esgotavam minhas forças. Agora já nem via a terra.

Não avançara cinco metros quando senti que a corrente com a medalha de N. Sra. do Carmo se partira. Parei. Consegui alcançá-la quando começava a afundar na água verde e revolta. Como não tinha tempo de guardá-la no bolso, apertei-a com força entre os dentes e continuei nadando.

Estava sem forças, mas ainda não via a terra. O terror voltou a tomar conta de mim: talvez, certamente, a terra era outra alucinação. A água fresca tinha me revigorado e eu estava outra vez de posse dos meus sentidos, nadando desesperadamente para a praia de uma alucinação. E tinha nadado muito. Era impossível voltar à procura da balsa.

CAPÍTULO XII

Uma ressurreição em terra estranha

Só depois de nadar desesperadamente durante 15 minutos comecei a ver a terra. Ainda estava a mais de um quilômetro de distância. Mas não havia dúvida de que era realidade o que eu via, não uma miragem. O sol dourava a copa dos coqueiros. Não havia luzes na costa. Não havia nenhum povoado ou casa visível desde o mar. Era, porém, terra firme.

Em menos de 20 minutos fiquei esgotado, mas estava seguro de que chegaria. Nadava com fé, tentando não permitir que a emoção me fizesse perder o controle. Passara meia vida na água, mas nunca como nessa manhã do dia 9 de março tinha compreendido e apreciado a importância de ser bom nadador. Sentindo-me cada vez com menos força, continuei nadando até a costa. À medida que avançava via mais claramente o perfil dos coqueiros.

O sol aparecera quando acreditei que podia tocar o fundo. Tentei fazê-lo, mas ainda existia bastante profundidade. Evidentemente, não me encontrava diante de uma praia. A água era funda até muito perto da margem; por isso, teria que continuar nadando. Não sei exatamente quanto tempo nadei. Sei que à medida que me aproximava da costa o sol ia esquentando sobre minha cabeça, mas agora não me torturava a pele, mas sim me estimulava os músculos. Nos primeiros metros a água gelada me fez pensar em cãibras. Meu corpo, porém, se esquentou rapidamente. Depois, a água ficou menos fria e eu nadava extenuado, como entre nuvens, mas com um ânimo e uma fé que prevaleciam sobre a sede e a fome.

Via perfeitamente a espessa vegetação, à luz do morno sol matinal, quando procurei o fundo pela segunda vez. Ali estava a terra sob meus sapatos. É uma sensação estranha essa de pisar a terra depois de dez dias à deriva no mar.

Entretanto, bem depressa percebi que ainda me faltava o pior. Estava totalmente esgotado. Não podia me manter de pé. A onda da ressaca me empurrava com violência mais para o interior. Estava com a medalha de N. Sra. do Carmo apertada entre os dentes. A roupa e os sapatos de borracha pesavam terrivelmente. Mesmo nessas horríveis circunstâncias, a gente tem pudor. Pensava que logo poderia encontrar alguém. Assim, continuei lutando contra as ondas da ressaca, sem tirar a roupa, que me impedia de avançar, embora sentisse que estava desmaiando de esgotamento.

A água me alcançava até um pouco acima da cintura. Com um esforço desesperado consegui caminhar até que estivesse à altura de minhas coxas. Então, decidi me arrastar. Firmei na terra os joelhos e as palmas das mãos e me empurrei para a frente. Foi inútil. As ondas me fazia recuar. A areia miúda e dura machucava a ferida de meu joelho. Nesse momento eu sabia que estava sangrando, mas não sentia dor. As pontas dos dedos estavam em carne viva. Mesmo sentindo a dolorosa penetração da areia entre as unhas, cravei os dedos na terra e tentei me arrastar. O terror voltou a se apoderar de mim: a terra e os coqueiros dourados sob o sol começaram a se mover diante dos meus olhos. Pensei que andava sobre areia movediça, e que estava sendo engolido.

Entretanto, aquela impressão deve ter sido uma ilusão ocasionada pelo esgotamento. A ideia de que estava sobre areia movediça me infundiu um ânimo desmedido — o ânimo do terror — e dolorosamente, sem piedade pelas minhas mãos descarnadas, continuei me arrastando contra as ondas. Dez minutos depois todos os sofrimentos, a fome e a sede de dez dias, haviam se reunido precipitadamente em meu corpo. Estendi-me, moribundo, sobre a terra dura e morna, e fiquei ali sem pensar em nada, sem dar graças a ninguém, sem me alegrar sequer por haver conseguido, à força de vontade, de esperança e de um implacável desejo de viver, um pedaço de praia silenciosa e desconhecida.

As marcas do homem

Em terra, a primeira impressão que se experimenta é a do silêncio. Antes de perceber alguma coisa, mergulha-se em um grande silêncio. Um momento depois, remoto e triste, se ouve o golpe das ondas contra a costa. Em seguida, o murmúrio da brisa entre as palmas dos coqueiros infunde a sensação de que se está salvo, ainda que não se saiba em que lugar do mundo se encontra.

Outra vez de posse dos meus sentidos, deitado na praia, comecei a examinar a paisagem. Era uma natureza selvagem. Instintivamente procurei as marcas do homem. Havia uma cerca de arame farpado a uns 20 metros do lugar em que me encontrava. Havia um caminho estreito e sinuoso com pegadas de animais. E junto ao caminho, cascas de cocos quebrados. O mais insignificante rastro da presença humana teve para mim, naquele instante, o valor de uma revelação. Cheio de alegria, apoiei o rosto na areia morna e esperei.

Aguardei durante dez minutos, aproximadamente. Pouco a pouco ia recuperando as forças. Passava das seis e o sol tinha saído por completo. Junto ao caminho, entre as cascas quebradas, havia vários cocos inteiros. Arrastei-me até eles, encostei-me em um tronco e segurei o fruto liso e impenetrável entre meus joelhos. Como há cinco dias havia feito com o peixe, procurei ansiosamente suas partes macias. A cada volta que dava ao coco, sentia a água bater no seu interior. Aquele som gutural e profundo me despertava a sede. O estômago doía, a ferida do joelho estava sangrando, e meus dedos, em carne viva, latejavam com uma dor lenta e profunda. Durante meus dez dias no mar não tive, em nenhum momento, a sensação de que ficaria louco. Essa sensação me veio, pela primeira vez, nessa manhã, quando dava voltas ao coco, procurando um ponto por onde penetrá-lo, sentindo bater entre minhas mãos a água fresca, limpa e inalcançável.

Um coco tem três buracos, na parte de cima, ordenados em triângulo. Mas é preciso descascá-lo com um facão para encontrá-los. Eu só tinha minhas chaves. Insisti inutilmente, várias vezes, tentando penetrar sua áspera e sólida casca com essas chaves. Finalmente, me dei por vencido. Atirei para longe o coco, com raiva, ouvindo a água bater no seu interior.

Minha última esperança era o caminho. Ali, ao meu lado, as cascas partidas indicavam que alguém devia vir para derrubar cocos. Os restos demonstravam que alguém vinha todos os dias, subia nos coqueiros e depois descascava os cocos. Aquilo demonstrava, além disso, que eu estava perto de um lugar habitado, pois ninguém percorre uma grande distância só para levar um carregamento de cocos.

Pensava nisto, recostado num tronco, quando ouvi — muito distante — o latido de um cachorro. Fiquei em guarda. Alertei os sentidos. Um instante depois, ouvi claramente o tilintar de alguma coisa metálica que se aproximava pelo caminho.

Era uma mulher negra, incrivelmente magra, jovem e vestida de branco. Trazia na mão uma panelinha de alumínio cuja tampa, mal ajustada, soava a cada passo. "Em que país estou?", me perguntei, vendo se aproximar, pelo caminho, aquela negra com tipo de jamaicana. Lembrei-me de Santo André e Providência e de todas as ilhas do Caribe. Aquela mulher era minha primeira oportunidade, mas podia, também, ser a última. "Entenderá castelhano?", me perguntei, tentando decifrar o rosto da mulher que, distraidamente, ainda sem me ver, arrastava pelo caminho seus empoeirados chinelos de couro. Estava tão desesperado por não perder a oportunidade, que tive uma ideia absurda: se lhe falasse em espanhol não me entenderia, e me deixaria ali, jogado à margem do caminho.

— *Hello! Hello!* — disse-lhe, angustiado.

A mulher me olhou com uns olhos enormes, brancos e espantados.

— *Help me!* — exclamei, convencido de que estava me entendendo.

Ela vacilou por um momento, olhou em volta e saiu correndo pelo caminho, assustada.

O homem, o burro e o cachorro

Acreditei que morreria de angústia. Num instante me vi naquele lugar, morto, despedaçado pelos urubus. Depois, voltei a ouvir o cachorro, cada vez mais perto. Meu coração começou a dar pulos, à medida que os latidos se aproximavam. Apoiei-me nas palmas das mãos. Levantei a cabeça. Esperei. Um minuto. Dois. Os latidos estavam cada vez mais perto. De repente só ficou o silêncio. Em seguida, o bater das ondas e o rumor do vento entre os coqueiros. Depois, no minuto mais longo que recordo em minha vida, apareceu um cachorro esquálido, seguido por um burro com dois cestos. Atrás deles vinha um homem branco, pálido, com um chapéu de palha e as calças enroladas até o joelho. Tinha uma carabina atravessada nas costas.

Tão depressa como apareceu na curva do caminho, ele me olhou com surpresa. Parou. O cachorro, com o rabo levantado, se aproximou para me cheirar. O homem permaneceu imóvel, em silêncio. Em seguida, baixou a carabina, apoiou a culatra na terra e ficou me olhando.

Não sei por que, mas pensei que estava em qualquer parte do Caribe menos na Colômbia. Sem ter certeza de que me entenderia, decidi falar em espanhol.

— Senhor, me ajude! — disse-lhe.

Ele não respondeu logo. Continuou me examinando enigmaticamente, sem piscar, com a carabina apoiada no chão "Só falta agora que me dê um tiro", pensei friamente. O cachorro lambia minha cara e eu não tinha forças para evitá-lo.

— Ajude-me! — repeti, ansioso, desesperado, pensando que o homem não me entendia.

— Que lhe aconteceu? — perguntou num tom amável.

Quando ouvi sua voz, percebi que mais que a sede, a fome e o desespero, me atormentava o desejo de contar o que havia acontecido. Quase me afogando com as palavras, eu lhe disse sem respirar:

— Sou Luís Alexandre Velasco, um dos marinheiros que caíram, no dia 28 de fevereiro, do destróier *Caldas*, da Armada Nacional.

Pensava que todo mundo tinha obrigação de conhecer a notícia. Supunha que tão logo dissesse meu nome, o homem se apressaria a me ajudar. Mas ele não se alterou. Continuou no mesmo lugar, me olhando, sem se preocupar sequer com o cachorro, que lambia meu joelho ferido.

— É marinheiro de galinhas? — perguntou-me, pensando talvez nas embarcações costeiras que trafegam com porcos e aves de corte.

— Não. Sou marinheiro de guerra.

Só então o homem se mexeu. Cruzou de novo a carabina nas costas, jogou o chapéu para trás, e disse:

— Vou levar um engradado até o porto e volto.

Senti que aquela era outra oportunidade que me escapava.

— Promete que voltará? — perguntei com voz suplicante.

O homem respondeu que sim. Que voltaria com absoluta certeza. Sorriu amavelmente e retomou a marcha atrás do burro. O cachorro continuou ao meu lado, cheirando-me. Só quando o homem se distanciava me lembrei de perguntar, quase com um grito:

— Que país é este?

E ele, com uma extraordinária naturalidade, me deu a única resposta que eu não esperava naquele instante:

— Colômbia.

CAPÍTULO XIII

Seiscentos homens me conduzem a San Juan

Voltou, como havia prometido. Antes que começasse a esperá-lo — uns 15 minutos depois — voltou com o burro e as cestas vazias e com a negra da panelinha de alumínio, que era sua mulher, segundo soube mais tarde. O cachorro não saíra do meu lado. Deixou de me lamber a cara e as feridas. Deixou de me cheirar. Ficou ao meu lado, imóvel, meio adormecido, até que viu o burro se aproximar. Deu então um pulo e começou a balançar o rabo.

— Não pode caminhar? — perguntou o homem.

— Vou ver — eu lhe disse.

Tentei ficar de pé, mas caí de bruços.

— Não pode — disse o homem, evitando que eu caísse.

Ele e a mulher me subiram no burro. E, me sustentando sob os braços, fizeram o burro andar. O cachorro ia na frente pulando.

Por todo o caminho havia cocos. No mar tinha suportado a sede. Mas ali, no lombo do burro, avançando por um caminho estreito e sinuoso, margeado por coqueiros, senti que não podia resistir um minuto mais. Pedi que me desse água de coco.

— Não tenho facão — disse o homem.

Não era verdade. Levava um facão no cinto. Se naquele momento eu tivesse condições de me defender, teria tirado o facão dele à força, descascado um coco e o comido inteiro.

Mais tarde entendi por que o homem me recusara a água de coco. Fora a uma casa, situada a dois quilômetros do lugar em que me encontrara, falara com a gente de lá, e esta lhe avisara para não me dar nada de comer até que viesse um médico. E o médico mais próximo estava a dois dias de viagem, em San Juan de Urabá.

Em menos de meia hora chegamos à casa. Uma construção rudimentar de madeira e teto de zinco, a um lado do caminho. Ali havia três homens e duas mulheres. Todos me ajudaram a descer do burro, levaram-me ao quarto e me deitaram num catre. Uma das mulheres foi à cozinha, trouxe uma panelinha com chá de canela e se sentou na borda da cama, dando-me colheradas. Com as primeiras gotas fiquei desesperado. Depois, senti que readquiria o ânimo. Então já não queria mais beber e sim contar o que havia se passado.

Ninguém sabia do acidente. Tentei explicar, contar a história toda, para que soubessem como eu me salvara. Imaginara que em qualquer lugar do mundo aonde chegasse as pessoas teriam notícia do desastre. Fiquei decepcionado

por saber que estava enganado, enquanto a mulher me dava colheradas de chá de canela, como a um menino doente.

Várias vezes insisti em contar o que acontecera. Impassíveis, os quatro homens e as outras duas mulheres permaneciam aos pés da cama me olhando. Aquilo parecia uma cerimônia. Não fosse pela alegria de estar a salvo dos tubarões, dos numerosos perigos do mar que me haviam ameaçado durante dez dias, teria pensado que aqueles homens e aquelas mulheres não pertenciam a este planeta

Engolindo a história

A amabilidade da mulher que me dava de beber não permitia confusões de espécie alguma. Cada vez que tentava contar minha história, ela dizia:

— Fique calado agora. Depois nos conta.

Teria comido o que estivesse a meu alcance. Da cozinha chegava ao quarto a fumaça cheirosa do almoço. Foram inúteis todas as minhas súplicas.

— Só lhe damos de comer depois que o médico o vir — respondiam.

Mas o médico não chegou. A cada dez minutos me davam colherinhas de água com açúcar. A menor das mulheres, ainda uma menina, limpou as feridas com compressas de água morna. O dia ia passando lentamente. E aos poucos ia me sentindo aliviado. Estava certo de que me encontrava entre gente amiga. Se em vez de me dar colheradas de água com açúcar tivessem saciado minha fome, meu organismo não teria resistido ao impacto.

O homem que me encontrou no caminho se chama Dámaso Imitela. Às dez da manhã de 9 de março, no mesmo dia em que cheguei à praia, ele viajou para o povoado próximo de Mulatos e voltou à casa com vários policiais. Eles também ignoravam a tragédia. Em Mulatos ninguém sabia da notícia. Lá não chegam jornais. Numa loja, onde se instalou um motor elétrico, há um rádio e uma geladeira. Mas não se ouvem noticiários. Segundo soube depois, quando Dámaso Imitela comunicou ao inspetor de polícia que havia me encontrado exausto numa praia, e que eu dizia pertencer ao destróier *Caldas*, ele ligou o motor e, durante todo o dia, ficou escutando os noticiários de Cartagena. Não se falava mais do acidente, mas nas primeiras horas da noite fizeram uma breve menção ao caso. Então, o inspetor de polícia, todos os policiais e 60 homens de Mulatos se puseram em marcha para me prestar auxílio. Um pouco depois da meia-noite eles invadiram a casa e me acordaram com suas vozes. Tiraram-me do único sono tranquilo que conseguira conciliar nos últimos 12 dias.

Antes do amanhecer a casa estava cheia de gente. Mulatos inteiro — homens, mulheres e crianças — havia se mobilizado para me ver. Aquele foi o meu primeiro contato com uma multidão de curiosos, que nos dias seguintes me acompanharia por toda parte. A multidão trazia lampiões e lanternas. Quando o inspetor de Mulatos e quase todos os seus acompanhantes me tiraram da cama, senti que me arrancavam a pele queimada pelo sol. Era uma confusão dos diabos.

Fazia calor. Eu me asfixiava no meio daquela multidão de rostos protetores. Quando saí, no caminho, uma porção de lampiões e lanternas focalizou meu rosto. Fiquei cego em meio aos murmúrios e às ordens do inspetor de polícia, dadas em voz alta. Não via a hora de chegar a algum lugar, qualquer que fosse. Desde o dia em que caíra do destróier não fizera outra coisa senão viajar com rumo desconhecido. Nessa madrugada, continuava viajando, sem saber por onde, sem imaginar sequer o que pensava fazer comigo aquela multidão diligente e cordial.

A história do faquir

Foi longo e difícil o caminho até Mulatos. Deitaram-me numa maca pendurada em dois longos paus. Dois homens em cada ponta de cada um dos paus me conduziram por um longo, estreito e tortuoso caminho, iluminado pelos lampiões. Íamos ao ar livre, mas fazia tanto calor como num quarto fechado, por causa dos lampiões.

Os oito homens se revezavam a cada meia hora. Então me davam um pouco de água e pedacinhos de biscoito de sal. Eu gostaria de saber para onde me levavam e o que pensavam fazer comigo. Mas ali se falava de tudo. Todo mundo falava, menos eu. O inspetor, que dirigia a multidão, não permitia que ninguém se aproximasse para falar comigo. Ouviam-se gritos, ordens, comentários a longa distância. Quando chegamos à longa ruazinha de Mulatos, a polícia não foi capaz de conter a multidão. Eram umas oito da manhã.

Mulatos é um casario de pescadores, onde não há telégrafos. O povoado mais próximo é San Juan de Urabá, onde duas vezes por semana chega um aviãozinho procedente de Montería. No casario pensei que chegara a algum lugar. Supus que teria notícias de minha família. Em Mulatos, porém, estava apenas na metade do caminho.

Instalaram-me numa casa e todo o povo fez fila para me ver. Lembrava-me de um faquir que vi, há dois anos, em Bogotá, por 50 centavos. Era preciso ficar numa longa fila de várias horas para ver o faquir. A gente avançava apenas meio metro a cada 15 minutos. Quando se chegava ao local onde o faquir estava, metido numa urna de vidro, a gente não queria mais ver ninguém. Só queria era sair daquilo o quanto antes para mexer as pernas, para respirar ar puro.

A única diferença entre mim e o faquir era que ele estava dentro de uma urna de vidro. O faquir estava há nove dias sem comer. Eu tinha dez dias no mar e um deitado num catre, num quarto de Mulatos. Via passar rostos à minha frente. Rostos brancos e negros, numa fila interminável. O calor era terrível. E eu me sentia, então, suficientemente refeito para ter um pouco de senso de humor e pensar que alguém estava à porta vendendo entradas para ver o náufrago.

Na mesma maca em que me levaram a Mulatos, fui levado a San Juan de Urabá. A multidão que me acompanhava, porém, se multiplicara. Não eram menos de 600 homens. Iam, também, mulheres, crianças e animais. Alguns fizeram a viagem de burro, mas a maioria seguiu a pé. Foi uma jornada de quase um dia. Levado por aquela multidão, pelos 600 homens que se revezavam ao longo do caminho, recuperava as minhas forças paulatinamente. Acho que Mulatos ficou vazio. Desde as primeiras horas da manhã o motor ficou funcionando e o receptor de rádio invadindo o casario com sua música. Aquilo era como uma feira. E eu, o centro e a razão da feira, continuava tombado na cama, enquanto o povoado inteiro desfilava para me conhecer. Essa mesma multidão não se conformou em me deixar partir só e foi a San Juan de Urabá, numa longa caravana, que tomava toda a largura daquele tortuoso caminho.

Durante a viagem eu sentia fome e sede. Os pedacinhos de biscoito, os insignificantes goles de água tinham me restabelecido, mas, ao mesmo tempo, agravaram minha sede e fome. A entrada em San Juan me fez lembrar das festas nos povoados. Todos os habitantes da pequena e pitoresca povoação, varrida pelos ventos do mar, saíram a meu encontro. Medidas de precaução para evitar os curiosos já haviam sido tomadas e a polícia conseguiu logo deter a multidão que se aglomerava nas ruas para me ver.

Esse foi o final da minha viagem. O Dr. Humberto Gómez, o primeiro médico que me fez um exame demorado, deu-me a grande notícia. Só a deu, porém, depois de terminar o exame — queria a certeza de que eu estava em condições de resistir a ela. Com uma palmadinha no rosto, sorrindo amavelmente, ele me disse:

— O avião está pronto para levá-lo a Cartagena. Sua família o está esperando.

CAPÍTULO XIV

Meu heroísmo consistiu em não me deixar morrer

Nunca pensei que um homem se transformasse em herói por ficar dez dias numa balsa, suportando a fome e a sede. Eu não podia fazer outra coisa. Se a balsa fosse abastecida com água, biscoitos empacotados, bússola e instrumentos de pesca, certamente estaria tão vivo como agora. Mas com uma diferença: não teria sido tratado como um herói. De maneira que o heroísmo, no meu caso, consiste exclusivamente em não ter me deixado morrer de fome e sede durante dez dias.

Não fiz nenhum esforço para ser herói. Tudo o que fiz foi para me salvar. Mas como a salvação veio envolta numa auréola, premiada com o título de herói como um bombom com surpresa, não tive outro recurso senão suportar a salvação, como havia chegado, com heroísmo e tudo.

As pessoas me perguntam como é que um herói se sente. Nunca sei o que responder. De minha parte, sinto o mesmo que antes. Não mudei nem por dentro nem por fora. As queimaduras do sol deixaram de doer. A ferida do joelho cicatrizou. Sou outra vez Luís Alexandre Velasco. E isso me basta.

Mudaram as pessoas. Meus amigos são agora mais amigos que antes. E eu imagino também que meus inimigos são mais inimigos, ainda que não acredite tê-los. Quando alguém me reconhece na rua, fica me olhando como a um animal estranho. Por isso ando mais à paisana, até que as pessoas se esqueçam de que estive dez dias sem comer nem beber em uma balsa.

A primeira sensação que se tem quando se começa a ser importante é a de que, durante todo o dia e toda a noite, em qualquer circunstância, as pessoas gostam que a gente lhes fale de si mesmo. Entendi isso no Hospital Naval de Cartagena, onde puseram um guarda para que ninguém falasse comigo. Três dias depois me sentia completamente restabelecido, mas não podia sair do hospital. Sabia que quando me dessem alta teria que contar a história a todo mundo, porque, segundo me diziam os guardas, tinham chegado à cidade jornalistas de todo o país para fazer reportagens e me fotografar. Um deles, com um impressionante bigode de 20 centímetros de comprimento, me tirou mais de 50 fotografias, mas não lhe permitiram que me perguntasse nada relacionado com minha aventura.

Outro, mais audacioso, se disfarçou de médico, enganou a guarda e entrou no meu quarto. Teve uma espetacular e merecida vitória, mas passou um mau bocado.

História de uma reportagem

No meu quarto só podiam entrar meu pai, os guardas, os médicos e os enfermeiros do Hospital Naval. Um dia, entrou um médico que eu nunca tinha visto antes. Muito jovem, de bata branca, óculos e estetoscópio pendurado ao pescoço, ele entrou intempestivamente, sem dizer nada.

O suboficial da guarda olhou-o perplexo. Pediu que se identificasse. O jovem médico examinou todos os bolsos, se perturbou um pouco e disse que tinha esquecido seus papéis. O suboficial disse-lhe, então, que não poderia conversar comigo sem uma permissão especial do diretor do hospital. Por isso, foram ambos ao diretor. Dez minutos depois voltaram.

O suboficial entrou na frente e me avisou:

— Ele tem permissão para examiná-lo durante 15 minutos. É um psiquiatra de Bogotá, mas acho que é um repórter disfarçado.

— Por quê? — perguntei-lhe.

— Porque está muito assustado. Além disso, os psiquiatras não usam estetoscópio.

Entretanto, ele conversara durante 15 minutos com o diretor do hospital. Falaram de medicina, de psiquiatria. Usaram termos médicos, muito complicados, e rapidamente entraram em acordo. Por isso lhe deram permissão para falar comigo durante 15 minutos.

Não sei se foi por causa do aviso do suboficial, mas quando o jovem médico entrou de novo no meu quarto, não me pareceu mais um médico. Também não me pareceu um repórter, embora até aquele momento eu nunca tivesse visto um repórter. Parecia um padre disfarçado de médico. Acho que não sabia como começar. Mas, na realidade, só estava pensando na maneira de afastar o suboficial.

— Quer me fazer o favor de conseguir um papel — pediu.

Devia pensar que o suboficial iria buscar o papel no escritório. Este tinha, porém, ordem de não me deixar só. Por isso, não foi buscar o papel, saiu ao corredor e gritou:

— Ouça, traga logo papel para escrever.

Um momento depois chegava o papel. Tinham se passado mais de cinco minutos e o médico ainda não me fizera qualquer pergunta. Só quando o papel chegou é que começou o exame. Entregou-me o papel e me pediu que desenhasse um navio. Desenhei o navio. Em seguida me pediu que assinasse o desenho, e eu o fiz. Depois me pediu que desenhasse uma casa de campo. Desenhei uma casa o melhor que pude, com um mato de bananeiras ao lado. Pediu-me que o assinasse. Então me convenci de que era um repórter disfarçado. Ele, porém, insistiu que era médico.

Quando acabei de desenhar, examinou os papéis, disse algumas palavras confusas e começou a me fazer perguntas sobre a aventura. O suboficial nos interrompeu para lembrar que aquele tipo de perguntas não era permitido. Então, examinou meu corpo, como fazem os médicos. Estava com as mãos geladas. Se o suboficial tivesse tocado nelas, ele o teria posto para fora do quarto. Eu não disse nada, pois seu nervosismo e a possibilidade de que fosse um repórter me despertavam uma grande simpatia. Antes que se passassem os 15 minutos da permissão, ele saiu correndo com os desenhos.

Que confusão no dia seguinte! Os desenhos apareceram na primeira página do *El Tiempo*, com setas e legendas. "Aqui estava eu", dizia uma legenda, com uma seta que indicava a ponte do navio. Era um erro, porque eu não estava na ponte, mas na popa. Os desenhos, porém, eram meus.

Disseram-me que desmentisse. Que podia processá-lo. Achei absurdo. Sentia uma grande admiração por um repórter que se disfarçava de médico para poder entrar num hospital militar. Se ele tivesse encontrado a maneira de me fazer saber que era um repórter, eu teria sabido como afastar o suboficial da guarda. Na verdade, nesse dia eu já tinha permissão para contar minha história.

O negócio da história

A aventura do repórter disfarçado de médico me deu uma ideia clara do interesse que os jornais tinham na história dos meus dez dias no mar. Era um interesse de todo o mundo. Meus próprios companheiros me pediram que a contasse muitas vezes. Quando vim a Bogotá, já quase completamente restabelecido, percebi que minha vida tinha mudado. Fui recebido com todas as honras no aeroporto. O Presidente da República me concedeu uma condecoração, felicitando-me pela façanha. Desde esse dia soube que continuaria na Armada, agora promovido a cadete.

Além disso, houve uma coisa com a qual eu não contava: as propostas das agências de publicidade. Estava muito orgulhoso com meu relógio, que andou com precisão durante toda a odisseia. Não pensei, entretanto, que isso servisse aos fabricantes de relógios. Eles, porém, me deram 500 pesos e um relógio novo. Por ter mastigado certa marca de chiclete e ter dito isso num anúncio, ofereceram-me 1.000 pesos. Quis a sorte que os fabricantes dos meus sapatos, para que eu confirmasse isto em outro anúncio, me dessem 2.000 pesos. Para que permitisse a transmissão de minha história pelo rádio, deram-me cinco mil. Nunca pensei que fosse um bom negócio viver dez dias de fome e de sede no mar. Mas é: até agora recebi quase 10.000 pesos. Entretanto, não repetiria a aventura nem por um milhão.

Minha vida de herói não tem nada de especial. Levanto às dez da manhã. Vou a um café conversar com os amigos, ou a alguma das agências de publicidade que estão fazendo anúncios baseados na minha aventura. Quase todos os dias vou ao cinema. E sempre acompanhado. O nome da acompanhante, porém, é a única coisa que não posso revelar, porque pertence ao meu fichário.

Todos os dias recebo cartas de todas as partes. Carta de gente desconhecida. De Pereira, assinado com as iniciais J. V. C., recebi um longo poema, com balsas e gaivotas. Mary Address, que mandou rezar uma missa pelo descanso de minha alma quando eu me encontrava à deriva no Caribe, me escreve com frequência. Enviou-me um retrato com dedicatória, que os leitores já conhecem.*

*A série de reportagens, reunida em um suplemento especial do *El Espectador*, publicou fotografias dos marinheiros do *Caldas*, inclusive a de Mary Address, aí referida por Luís Alexandre Velasco.

Contei minha história na televisão e num programa de rádio. E também a contei a meus amigos. Contei-a a uma velha viúva, que tem um grosso álbum de fotografias e que me convidou a visitá-la. Algumas pessoas me dizem que esta história é uma invenção fantástica. Eu lhes pergunto: Então, o que eu fiz durante dez dias no mar?

Este livro foi composto na tipologia
ITC Leawood Std Book, em corpo 9,5/16, e impresso
em papel off-white no Sistema Cameron da
Divisão Gráfica da Distribuidora Record.